Minna no Nihongo

みんなの日本語初級II

漢字英語版

Kanji II (English Edition)

Published by 3A Corporation.
Shoei Bldg., 6-3, Sarugaku-cho 2-chome, Chiyoda-ku, Tokyo 101-0064, Japan

ISBN978-4-88319-202-1 C0081

First published 2001
Printed in Japan

Preface

It is generally recognized that one of the major challenges for the learners of Japanese who have no background in using Chinese characters is acquiring the ability to read and write kanji. For those learners, the Japanese writing system is completely foreign and kanji look as though they are arbitrary graphic patterns consisting of different lines and dots. Therefore, it is understandable that many people hesitate to learn Japanese when they find these foreign characters used in the writing system, and that some learners focus on oral communication skills while avoiding learning written Japanese. It is true that the acquisition of written Japanese is a somewhat laborious task, but it will not be as laborious as you expect it to be if you are guided properly. Besides, you may experience a sense of wonder and excitement as you become familiar with a completely different writing system. The Romans said that there is no royal road to learning. But there is a proper road to learning. This book will lead you onto the proper road, so that you can learn to read and write Japanese, and kanji in particular, in an informative and enjoyable way.

Ms. Ayako Kikukawa, who also did the editorial work on 初級Ⅰ漢字, played an important role again in compiling this book. It took far longer to write than we had initially expected, but Ms. Kikukawa constantly encouraged the authors, giving precious comments and suggestions for the improvement of the manuscripts. On behalf of the authors of the book, I wish to thank her again. I also wish to extend my sincere gratitude to Mr. Masahiko Nishino, who also worked with us in writing 初級Ⅰ漢字, for his excellent work on the illustrations.

October 2001

Koichi Nishiguchi

はじめに

　漢字を読んだり書いたりする能力を習得することは、漢字という文字にまったく馴染みのない学習者にとって学習上の大きな障害となっています。そうした学習者には、日本語の表記システムはたいへん奇妙なものであり、漢字という文字は適当な直線と曲線と点でできた無秩序な図形のように見えます。ですから、非漢字系の人たちが、このような漢字や日本語の表記システムを見て、日本語を勉強するのを躊躇するのはもっともだと言えますし、また、一部の非漢字系の学習者が漢字の学習をあきらめて、日本語の会話だけを勉強しようとするのもある程度理解できます。確かに、日本語の書き言葉を習得するのはそれほど容易なことではありません。しかし、適切な方法で勉強すれば、一見して思うほどたいへんなことではありません。また、自分の言語とはまったく違う日本語の表記システムが分かり始めると、きっと言葉というものの不思議さや面白さを感じることでしょう。その昔ローマ人は「学問に王道なし」と言いました。しかし、学問には「適切な道」はあります。この漢字の本は皆さんをその適切な道に導いてくれます。この本で勉強すれば、漢字や漢字語などについていろいろなことを知りながら、楽しく漢字を含む日本語の読み書き能力を習得することができます。

　『初級Ⅰ漢字』の場合と同様、スリーエーネットワークの菊川綾子氏が編集にあたってくれました。当初は割合早い時期に本書を出すことができるだろうと考えていたのですが、予想よりもはるかに執筆に時間がかかってしまいました。そんな執筆者達を菊川氏は忍耐強く励まし、また原稿ができあがったときには、本書の質を保つ観点から、引き続きさまざまな有益な助言をくださいました。改めて、深く御礼を申し上げます。また、やはり『初級Ⅰ漢字』の場合と同様にイラストを担当してくださった西野昌彦氏にも紙面を借りて御礼を申し上げたいと思います。

　2001 年 10 月

西口光一

Introduction

☐ General features of this book

This book has been prepared as a kanji book for みんなの日本語 初級Ⅱ. However, the scope of this book is not limited to the kanji and *kanji words that appear in the course book. It also includes the development of general kanji ability and written Japanese language skills.

The authors do not think that the only way to learn kanji is to simply practice writing each kanji or kanji word over and over again and to memorize their readings by rote. Neither do the authors think that it is a good idea to design a course of learning based on the kanji system, because it is only a partial system and if we choose that course learners are often obliged to learn many unfamiliar words. The authors believe **that kanji and kanji words are best learned if they are studied in familiar words used in familiar contexts, while at the same time paying attention to the kanji system.** In this way, learners not only acquire a certain number of kanji and kanji words per se but also build a solid foundation to their general kanji ability and develop skills in written Japanese, thus encouraging them to study Japanese further.

As explained below, in the process of selecting target kanji and kanji words, the contents of the course book and the lists of kanji and vocabulary prepared for the Japanese Language Proficiency Test were taken into consideration. Therefore, this book can be used as a general elementary to early intermediate kanji text, as well as a kanji book accompanying みんなの日本語初級Ⅱ.

*kanji word = a word that is normally written in kanji or kanji plus some additional hiragana

☐ Target kanji and kanji words

You have already studied 220 kanji in 初級Ⅰ漢字. Those kanji consist of 208 of the kanji required for Level 3 of the Japanese Language Proficiency Test and 12 of the kanji required for Level 2 of the same test.

Kanji that you have already learned in 初級Ⅰ漢字: 220 kanji	
Level 3 kanji: 208 kanji	Level 2 kanji: 12 kanji

Target kanji in 『初級Ⅰ漢字』

In this book you are going to learn 298 kanji (including 64 of the Level 3 kanji) and 422 kanji words. The following 12 Level 3 kanji are not treated in this book, because they were Level 2 kanji before the 2002 partial revision of the "Japanese Language Proficiency Test Standard".

区、県、光、産、市、首、進、森、池、民、門、林

Kanji that you will learn in 初級Ⅱ漢字: 298 kanji			
Level 4 kanji: 2 kanji	Level 3 kanji: 62 kanji	Level 2 kanji: 233 kanji	Level 1 kanji: 1 kanji

Target kanji in 『初級Ⅱ漢字』 (this book)

Altogether, the 220 kanji you have learned in 初級Ⅰ漢字 and the 298 kanji you will learn in this book make a total of 518 kanji, covering more than half of the 1,023 kanji required for Level 2 of the Japanese Language Proficiency Test.

☐ **Overview of the book**

1. Units 21-22

These two units are review materials for the kanji and kanji words you have studied in 初級Ⅰ漢字. Please study the materials paying special attention to the components of the kanji.

2. Unit 23

In this unit, using kanji studied in 初級Ⅰ漢字, you are going to learn the kanji word forms of vocabulary learned in みんなの日本語初級Ⅰ.

3. Units 24-25

In these units you are going to learn 20 Level 3 kanji using vocabulary items that you have learned in みんなの日本語初級Ⅰ. 44 more Level 3 kanji, which you will learn after Unit 26, are listed at the end of Unit 25. Those of you who wish to complete learning Level 3 kanji may learn these using this list right after you have finished studying Unit 25.

4. Units 26-50

Each of these units, which altogether form the main part of this book, corresponds with the lessons in the main textbook of みんなの日本語初級Ⅱ. The target kanji and kanji words are mainly selected out of the vocabulary items that appear in the corresponding lesson of the main textbook, and additional ones out of the vocabulary items that have appeared in the preceding lessons. Please study each unit after you have finished studying the corresponding lesson of the main textbook.

5. Reviews

Review materials are provided after every five units beginning with Unit 26. These review materials will give you opportunities to summarize and consolidate the knowledge you have gained, with special attention being paid to the system of kanji and kanji words.

6. Quizzes

Quizzes for each of the units from Units 23 to 50 are appended to the last part of the book. Please use them to check what you have learned.

7. Kanji Reference Booklet

Included in the Kanji Reference Booklet are "**Target kanji and kanji words,**" "**Index of target kanji words,**" "**Index of target kanji by the component,**" and "**List of target kanji.**" This Kanji Reference Booklet is designed to be used as a "reference book," as the name suggests, while you study kanji with this book. Utilizing this booklet, you will be able to deepen your understanding of the system of kanji and kanji words and expand your knowledge systematically.

The 298 target kanji, followed by the respective kanji words and other relevant information for each kanji entry, are listed in "**Target kanji and kanji words.**" The order of the target kanji is determined by the main component they have. Each kanji is assigned a serial number in this order. These numbers are shown when the target kanji are presented at the top of the first two pages of each unit.

The kanji in "**Target kanji and kanji words**" are presented in the same order as in the "**Index of target kanji by the component.**" The corresponding target kanji you have learned in 初級Ⅰ漢字 are also listed below each main component.

The 422 target kanji words, followed by the number of the lesson in which they appear, as well as the individual target kanji and their kanji numbers, are shown in a-i-u-e-o order in the "**Index of target kanji words.**" And all the 518 target kanji in 初級Ⅰ漢字 and this book are shown in the "**List of target kanji.**"

Each unit has four pages. The first two pages are designed to provide material for you to learn each target kanji and kanji word. Indicated at the top of these pages are the target kanji you will learn within the unit. Each kanji number assigned to the kanji corresponds with the kanji number used in "**Target kanji and kanji words.**" The following two pages comprise *Kanji Hakase* (漢字博士, kanji specialist) and *Kanji Ninja* (漢字忍者, kanji shadow warrior). However, Units 24 and 25 have two pages.

The first two pages consist of Ⅰ.読み方 (reading), Ⅱ.使い方 (usage), and Ⅲ.書き方 (writing). The target kanji and kanji words of the unit are presented in 読み方. New target kanji and kanji words are presented in section Ａ of 読み方, and new kanji words that can be written with already-learned kanji are presented in section Ｂ. New kanji are written in bold letters. 使い方 provides practice in reading the target kanji words in example sentences. The target kanji words are written in bold letters. The reading is given for every kanji word that is not the target of study in the unit.

Kanji Hakase (漢字博士) is a summary or review of the unit. The formal features and different readings of the target kanji, as well as the composition of the kanji compounds and the usage of the target kanji words, are mainly studied on this page. A diagrammatical summary of the kanji words and a passage for practicing reading them in context are also occasionally presented. The reading is given for every kanji word that is not the target of study in the unit. In the reading passages (読み物), however, readings are only given for those kanji words that have not been studied up to that point in this book.

Kanji Ninja (漢字忍者) summarizes everything you have learned about the kanji and kanji words studied in the preceding units. The reading is given for every kanji word that is not the target of study in the preceding units.

☐ **How to proceed with the book**

Study the first five units first. Then, proceed to Unit 26, and study each unit after you have studied the corresponding lesson in the main textbook of みんなの日本語初級Ⅱ.

解　説

□　本書の特徴

　本書は『みんなの日本語初級Ⅱ』の漢字学習書として書かれたものです。しかし、本書の目指すところは、ただ単に同教科書に出てくる漢字や漢字語*を勉強するというものではありません。本書では、個々の漢字や漢字語を学習するだけでなく、一般的な漢字能力と日本語の書き言葉に関する技能の習得をも目指しています。

　漢字を覚えるためには、個々の漢字や漢字語を何回も何回も書いて、読み方を丸暗記するしかない、と考えている人が多いようです。でも、実はそんなことはないと思います。また、漢字というものの体系を基にして漢字の教材が作成されることがありますが、これもあまりいいやり方ではないと思います。というのは、漢字の体系というのはごく部分的な体系であり、またそうしたやり方でいくと、学習者に知らない単語をたくさん覚えさせるという負担を強いてしまいます。**漢字や漢字語はよく知っている言葉や馴染みのある文や文脈の中で学習し、それと並行して漢字や漢字語の体系にも注目するという形で勉強するのがもっとも有効な勉強法**だと、わたしたちは思います。そのように勉強すれば、学習者は単に一定の数の漢字や漢字語を覚えるだけでなく、一般的な漢字能力の基礎力を形成することができ、また日本語の書き言葉の技能を伸ばすことができます。そして、そうした勉強法は広く日本語学習一般を促進するものとなります。

　以下に解説するように、学習漢字と学習漢字語の選択にあたっては、教科書と日本語能力試験の漢字と語彙のリストを相互に参照しました。そのため、本書は『みんなの日本語初級Ⅱ』の付属漢字教材としてだけでなく、**一般的な基礎漢字教材としても使うことができます。**

*漢字語 =表記する際に、漢字で書かれたり、漢字と補足的な平仮名で書かれたりする言葉を総称して、このテキストでは漢字語と呼ぶ。

□　学習漢字と学習漢字語

　『初級Ⅰ漢字』では、220 字の漢字を勉強しました。その内訳は、日本語能力試験の 3 級漢字208 字、2 級漢字12 字となっています。

『初級Ⅰ漢字』で学習した漢字：220 字	
3 級漢字：208 字	2 級漢字：12 字

『初級Ⅰ漢字』の学習漢字

　本書では、3 級漢字64 字を含む298 字の漢字、及び422 語の漢字語を学習事項として選びました。ただし、2002 年度『日本語能力試験出題基準』一部改訂により 2 級漢字から 3 級漢字になったもののうち以下の 12 字は本書では扱っていません。

　区、県、光、産、市、首、進、森、池、民、門、林

『初級Ⅱ漢字』で学習する漢字：298 字			
4 級漢字：2 字	3 級漢字：62 字	2 級漢字：233 字	1 級漢字：1 字

『初級Ⅱ漢字』（本書）の学習漢字

　『初級Ⅰ漢字』で学習した 220 字と本書で学習する 298 字を合わせると、518 字となり、この 2 冊の漢字学習書で日本語能力試験 2 級漢字 1,023 字の半分以上を学習することとなります。

□　本書の概要

１．ユニット 21 －ユニット 22

　『初級Ⅰ漢字』で学習した漢字と漢字語の復習です。漢字の字形に注意しながら学習してください。

２．ユニット 23

　『みんなの日本語初級Ⅰ』本冊で学習した語彙の中には、『初級Ⅰ漢字』で学習した漢字で書くことができる語彙があります。本ユニットでは、そのような漢字語を学習します。つまり、すでに習った漢字を別の語彙でもう一度学習するというわけです。

３．ユニット 24 －ユニット 25

　『みんなの日本語初級Ⅰ』で学習した語彙の中で 20 字の 3 級漢字を学習します。ユニット 25 の末尾には、残り 3 級漢字のうちユニット 26 以降で学習する 44 字の一覧表を付けました。

４．メイン・ユニット：ユニット 26 －ユニット 50

　『みんなの日本語初級Ⅱ』本冊の第 26 課から第 50 課に対応するユニットです。ユニット 26 は第 26 課、ユニット 27 は第 27 課、…ユニット 50 は第 50 課、というふうに、本冊の課と 1 対 1 対応になっています。各ユニットの学習漢字と学習語彙は、対応する課の新出語彙から主として選び、その他にそれ以前の課で学習した既習語彙からも選びました。教科書のそれぞれの課の学習を終えた後で、各ユニットを教材として漢字と漢字語を学習してください。

５．復習

　ユニット 26 からユニット 50 では、5 ユニット毎に復習のページを準備しました。復習のページは、それまでに学習した漢字について、漢字や漢字語の体系についての意識を高めながら、総合的に復習するページになっています。

６．クイズ

　本冊の末尾にユニット 23 からユニット 50 の各ユニットに対応するクイズがあります。学んだ知識の確認や小テストとして利用してください。

7．参考冊

　参考冊には、**Target kanji and kanji words**、**Index of target kanji words**、**Index of target kanji by the component**、**List of target kanji**、が含まれています。参考冊は名前の通り、本書で漢字を学習するときに必要に応じて参照するべきものです。参考冊を活用することで、より体系的に、また発展的に漢字を学習することができます。

　Target kanji and kanji words では、298 の学習漢字と、それを含む漢字語と、その他の関連する情報が提示されています。学習漢字は、字形の構成要素ごとに配列されています。各々の学習漢字には、本書での漢字番号が付されています。本冊の各ユニット冒頭ページ上部で示されている学習漢字にもこの漢字番号が振られています。

　Target kanji and kanji words における学習漢字の配列は、**Index of target kanji by the component** に示されています。同索引の各字形構成要素の下には、『初級Ⅰ漢字』で学習した漢字も提示されています。

　Index of target kanji words には、422 の学習漢字語があいうえお順に提示され、その漢字語を学習するユニットが示されています。あわせて、その漢字を構成する漢字が漢字番号付きで提示されています。

　List of target kanji には、『初級Ⅰ漢字』と本書で学習する漢字がすべて、漢字番号順に提示されています。

□　各ユニットの構成（ユニット 24 からユニット 50 まで）

　各ユニットは 4 ページで構成されています。最初の 2 ページはそのユニットで学習する漢字と漢字語そのものを学習するページです。ページの上にそのユニットで学習する漢字が提示されています。学習漢字に振られている番号は、参考冊の **Target kanji and kanji words** における漢字番号と対応しています。次の 2 ページは漢字博士と漢字忍者のページです。ただし、ユニット 24 と 25 は、2 ページで構成されています。

　最初の 2 ページは、「Ⅰ．読み方」、「Ⅱ．使い方」、及び「Ⅲ．書き方」からなっています。「読み方」ではそのユニットで学習する漢字と漢字語が提示されています。「読み方」の A では新しい漢字と漢字語が、「読み方」の B では既習漢字で書ける新しい漢字語がそれぞれ提示されています。新しい漢字は太字になっています。「使い方」では学習漢字語を例文の中で読む練習をします。学習漢字語は太字になっています。そのユニットの学習事項になっていない漢字語にはすべて振り仮名が振られています。

　漢字博士はユニットのまとめや復習です。学習漢字の字形の特徴や異なる読み方、また熟語の構成や学習漢字語の語法などを主に学習します。漢字語を図式的にまとめたものや、漢字語の読み方を練習するための文章も、必要に応じて提示しています。そのユニットの学習事項になっていない漢字語にはすべて振り仮名が振られています。ただし読み物では、本書のそのユニットのところまででまだ勉強していない漢字語にのみ振り仮名が振られています。

　漢字忍者では、それまでに学習した漢字と漢字語の知識を整理します。それまでに学習事項となっていない漢字語にはすべて振り仮名が振られています。

□　本書の使い方

　まず最初にユニット 21 からユニット 25 まで勉強してください。そして、ユニット 26 からは、『みんなの日本語初級Ⅱ』本冊の各課が終わったところで、各々のユニットを勉強してください。

目 次
もく　じ
Contents

はじめに (Preface)

解説 (Introduction)
かいせつ

ユニット 『みんなの日本語 初級Ⅰ、Ⅱ』対応課 **Unit** **Minna no Nihongo** **lesson number**	漢　字 かん　じ （漢字番号） かんじ ばんごう **Kanji** **(kanji number)**	ページ **page**
ユニット　21 25課まで か		2
ユニット　22 25課まで か		6
ユニット　23 25課まで か		10
ユニット　24 25課まで か	試 験 問 題 答 用 台 始 361 379 516 510 447 241 460 306 集 研 究 467 348 425	12
ユニット　25 25課まで か	飯 場 正 世 界 急 特 洋 375 292 236 237 440 406 325 283 不 230	14

ユニット 26 26課まで	絵 354　議 364　辞 359　柔 466　駐 378　帽 323　湯 290　横 331 遠 506　欲 388　遅 505	18
ユニット 27 27課まで	景 435　色 402　声 421　所 387　具 438　鳥 518　昔 468　夢 413 回 512　泳 277　座 488　走 420　役 268	22
ユニット 28 28課まで	形 386　品 418　慣 302　説 362　将 303　力 221　熱 475　心 231 眠 344　優 267　選 508　通 502　経 352	26
ユニット 29 29課まで	喫 312　辺 497　神 336　妻 462　忘 471　側 263　落 414　消 285 汚 273　割 383　全 400	30
ユニット 30 30課まで	皿 240　隅 296　机 326　引 305　箱 449　予 229　定 424　冷 254 置 439　掛 321　片 228　復 272　約 350	34
復習 1（ユニット30まで） ふくしゅう		38
ユニット 31 31課まで	空 426　港 289　文 396　務 349　園 513　飛 252　機 333　普 469 式 248　受 444　卒 398　業 445　連 503　残 339	40

ユニット　44 44課_かまで	頭 <small>394</small>　顔 <small>395</small>　髪 <small>465</small>　倍 <small>261</small>　由 <small>239</small>　押 <small>316</small>　痛 <small>495</small>　静 <small>374</small> 泣 <small>276</small>　笑 <small>446</small>	96
ユニット　45 45課_かまで	贈 <small>367</small>　点 <small>474</small>　皆 <small>476</small>　速 <small>500</small>　念 <small>472</small>　覚 <small>443</small>　働 <small>265</small>　練 <small>357</small> 絡 <small>353</small>	100
復習 4（ユニット45まで） ふくしゅう		104
ユニット　46 46課_かまで	薬 <small>416</small>　億 <small>266</small>　彼 <small>269</small>　洗 <small>284</small>　濯 <small>291</small>　乾 <small>373</small>　焼 <small>324</small>　渡 <small>288</small>	106
ユニット　47 47課_かまで	祭 <small>480</small>　科 <small>346</small>　庭 <small>489</small>　報 <small>377</small>　性 <small>300</small>　歳 <small>432</small>　怖 <small>301</small>　吹 <small>309</small>	110
ユニット　48 48課_かまで	徒 <small>270</small>　息 <small>473</small>　娘 <small>307</small>　留 <small>478</small>　君 <small>461</small>　忙 <small>299</small>　届 <small>492</small>　遊 <small>509</small> 久 <small>223</small>	114
ユニット　49 49課_かまで	灰 <small>485</small>　貿 <small>484</small>　存 <small>491</small>　階 <small>297</small>　様 <small>330</small>　召 <small>459</small>　寄 <small>427</small>　疲 <small>494</small> 勤 <small>381</small>　泊 <small>275</small>	118

参考冊　**Kanji Reference Booklet**
さんこうさつ

Target kanji and kanji words

Index of target kanji words

Index of target kanji by the component

List of target kanji

漢字
ユニット21〜25

1. ユニット21〜22

These two units are review materials for the kanji and kanji words you have studied in 初級Ⅰ漢字. Please study the materials paying special attention to the components of the kanji.

『初級Ⅰ漢字』で学習した漢字と漢字語の復習です。漢字の字形に注意しながら学習してください。

2. ユニット23

In this unit, using kanji studied in 初級Ⅰ漢字, you are going to learn the kanji word forms of vocabulary learned in みんなの日本語の初級Ⅰ.

『みんなの日本語初級Ⅰ本冊』で学習した語彙の中には、『初級Ⅰ漢字』で学習した漢字で書くことができる語彙があります。本ユニットでは、そのような漢字語を学習します。つまり、すでに習った漢字を別の語彙でもう一度学習するというわけです。

3. ユニット24〜25

In these units you are going to learn 20 Level 3 kanji using vocabulary items that you have learned in みんなの日本語初級Ⅰ. 44 more Level 3 kanji, which you will learn after Unit 26, are listed at the end of Unit 25.

『みんなの日本語初級Ⅰ本冊』で学習した語彙の中で20字の3級漢字を学習します。ユニット25の末尾には、残りの3級漢字のうちユニット26以降で学習する44字の一覧表を付けました。

21

I. ▮▮

イ 1. 3時ですね。ちょっと**休んで**、お茶でも飲みませんか。 | **休んで**
2. A：**何を作って**いますか。 | **何、作って**
   B：カレーを作っています。
3. 近くに図書館がありますから、**便利**です。 | **便利**
   よく本を**借り**に行きます。 | **借り**
4. A：**仕事**が終わったら、飲みに行きませんか。 | **仕事**
   B：すみません。**体**の調子がよくないんです。 | **体**
5. 兄は中国に**住んで**います。弟はタイに**住んで**います。 | **住んで**
ィ 6. **銀行**は**午後**3時までです。今、2時半です。 | **銀行、午後**
7. A：今、ホテルに着きました。 |
   B：すぐ**行き**ます。ロビーで**待って**いてください。 | **行き、待って**
ジ 8. 一人で飲む**酒**はおいしくないです。 | **酒**
9. すみません。この**漢字**の読み方を教えてください。 | **漢字**
10. 夏休みに**海**へ行きます。早く行きたいです。 | **海**
ォ 11. 車で行きません。**地下鉄**で行きます。 | **地下鉄**
 β 12. 12番のバスに乗って、大学前で**降りて**ください。 | **降りて**
13. 雨が**降って**いますから、タクシーで**病院**へ行きます。 | **降って、病院**
ヲ 14. テレサちゃんが、**強くて**、頭がいい人が好きだと | **強くて**
   言いました。スポーツをしなければなりません。
   勉強もしなければなりません。 | **勉強**
ヌ 15. **姉**は本が**好き**です。**妹**はスポーツが**好き**です。 | **姉、好き、妹**

ロ	16. 漢字には**意味**があります。だから、おもしろいです。	**意味** いみ
扌	17. 今、お金を**持って**いませんから、カードで買います。	**持って** も
牛	18. **買い物**に行きます。買いたい**物**がたくさんあります。	**買い物、物** か もの もの
	19. **動物**に**食べ物**をあげてはいけません。	**動物、食べ物** どうぶつ た もの
木	20. お兄ちゃんは今年から**学校**へ行きます。わたしも 　　**学校**へ行きたいです。	**学校** がっこう
ネ	21. わたしは**会社員**です。毎朝7時に**会社**へ行きます。	**会社員、会社** かいしゃいん かいしゃ
方	22. **家族**と中国へ**旅行**に行きました。楽しかったです。	**家族、旅行** かぞく りょこう
王	23. きのう、**タイ料理**を食べました。おいしかったです。	**タイ料理** りょうり
日	24. **土曜日**、友達と**映画**を見ました。2回見て、食事して、 　　**晩**、12時に家へ帰りました。	**土曜日、映画** どようび えいが **晩** ばん
	25. 冬は昼の**時間**が短いです。早く**暗く**なります。	**時間、暗く** じかん くら
	26. 夏です。朝の**5時**です。もう**明るい**です。	**5時、明るい** じ あか
月	27. 来月、パーティーがあります。この青い**服**を着ます。	**服** ふく
禾	28. **秋**から姉と東京に住んでいます。マンションは駅の 　　近くの**便利な**所にあります。一度、来てください。	**秋** あき **便利な** べんり
矢	29. A：あの人を**知って**いますか。髪が**短い**人です。 　　B：いいえ、**知り**ませんけど。	**知って、短い** し みじか
米	30. 奥さんは**料理**が上手です。ご主人は**料理**が下手です。	**料理** りょうり
糸	31. 今、**手紙**を書いています。もうすぐ**終わり**ます。	**手紙、終わり** てがみ お

言 32. すみませんが、もう少しゆっくり**話して**ください。 | **話して**
はな

33. 漢字をいくつ覚えたら、**日本語**の新聞を**読む**ことが | **日本語、読む**
にほんご　よ

できますか。

34. **時計**を見ます。もう12時です。おなかがすきました。 | **時計**
とけい

車 35. 車を**運転する**ことができます。でも、**自転車**に乗る | **運転する**
うんてん

ことができません。 | **自転車**
じてんしゃ

36. このかばんは重いです。もう少し**軽い**のがいいです。 | **軽い**
かる

金 37. すみません。**地下鉄**の駅はどこですか。 | **地下鉄**
ちかてつ

38. あしたは**銀行**は休みです。今日、行かないと。 | **銀行**
ぎんこう

食 39. コーヒーを**飲み**ました。今から、**図書館**へ行きます。 | **飲み、図書館**
の　としょかん

馬 40. 図書館は**駅**の近くです。歩いて5分ぐらいです。 | **駅**
えき

Ⅱ. ▨

カ 1. 昼は**自動車**の会社で働いています。夜は大学で | **自動車**
じどうしゃ

勉強しています。 | **勉強して**
べんきょう

刀 2. そのはさみでこのセロテープを**切って**ください。 | **切って**
き

リ 3. 新しいパソコンです。軽くて、**便利**です。 | **便利**
べんり

ヒ 4. ここは北海道のいちばん**北**です。前は海です。 | **北**
きた

丁 5. 弟は去年、この**町**を出て、東京へ行きました。 | **町**
まち

阝 6. 部長は今、**部屋**にいません。食堂へ行きました。 | **部屋**
へや

斤 7. **新しい**マンションは駅に**近い**ですから、便利です。 | **新しい、近い**
あたら　ちか

欠	8. 花見に行きました。食べたり、**飲んだり、歌**を 歌ったりしました。	**飲んだ、歌** の　　うた **歌った** うた
攵	9. 田中先生はいません。今、**教室で教え**ています。	**教室、教えて** きょうしつ　おし
月	10. 夏です。**朝**5時です。外はもう**明る**くなりました。	**朝、明る**く あさ　あか
寺	11. 友達を**待っ**ています。**時々、時計**を見ます。あ、 来ました！　友達は大きいかばんを**持っ**ています。	**待って、時々** ま　　　ときどき **時計、持って** とけい　も
帚	12. 毎晩8時ごろ、家に**帰り**ます。12時ごろ、寝ます。	**帰り** かえ

22

I. ▨

一 1. 六日に東京に着きます。着いたら、電話します。 | 六日、東京
　　　　　　　　　　　　　　　　　　　　でんわ | むいか　とうきょう

　 2. A：あの背が高い方はどなたですか。 | 高い、方
　　　　　　　せ | たか　　かた

　　　B：ドアの右に立っている方ですか。山川さんです。 | 立って
　　　　　　　　みぎ　　た　　　　　　　やまかわ | た

八 3. 今日は金曜日です。仕事が終わってから、友達と | 今日、金曜日
　　　　　　　　　　　しごと　お　　　　　ともだち | きょう　きんようび

　　　タイ料理を食べに行きます。駅で友達に会います。 | 食べ、会い
　　　　りょうり　た　い　　えき　　　　あ | た　　あ

ハ 4. じゃ、八日の八時二十分に駅で会いましょう。 | 二十分
　　　　　ようか　はちじにじゅっぷん　えき　あ | にじゅっぷん

一 5. 家族の写真です。わたしの家の前です。 | 写真
　　　かぞく　　　　　　　　　いえ　まえ | しゃしん

十 6. 古い写真があります。若い母と父がいます。 | 古い、写真
　　　ふる　　　　　　わか　はは　ちち | ふる　　しゃしん

　 7. 少し南へ行くと、古い建物があります。図書館です。 | 南、古い
　　　すこ　みなみ　い　　ふる　たてもの　　　　としょかん | みなみ　ふる

廿 8. 英語のニュースを聞いて、英語の新聞を読みます。 | 英語
　　　えいご　　　　　　き　　えいご　しんぶん　よ | えいご

　 9. あれがお茶の花ですか。白くて、小さい花ですね。 | お茶、花
　　　　　　ちゃ　はな　　　しろ　　ちい　はな | ちゃ　はな

二 10. 学生です。一か月前に、日本へ来ました。 | 一か月前
　　　がくせい　いっかげつまえ　にほん　き | いっ　げつまえ

ロ 11. 兄は足が長いです。わたしは足が短いです。 | 兄、足
　　　あに　あし　なが　　　　　　あし　みじか | あに　あし

　 12. 兄は銀行員です。去年、アップル銀行に入りました。 | 兄、銀行員
　　　あに　ぎんこういん　きょねん　　　ぎんこう　はい | あに　ぎんこういん

土 13. 去年、車を買いました。赤い車です。 | 去年、赤い
　　　きょねん　くるま　か　　　あか | きょねん　あか

宀 14. 教室の窓から外を見ています。外はいい天気です。 | 教室、窓
　　　きょうしつ　まど　そと　み　　　　そと　　　てんき | きょうしつ　まど

　 15. この漢字の本はいいです。そして、安いです。 | 漢字、安い
　　　かんじ　ほん　　　　　　　　やす | かんじ　やす

　 16. 電話をもらったとき、わたしは家で寝ていました。 | 家、寝て
　　　でんわ　　　　　　　　　　いえ　ね | いえ　ね

土 17. すみません。あの青い服を見せてください。 | 青い
　　　　　　　　あお　ふく　み | あお

止 18. 山の下に車を止めて、山の上のお寺まで歩きます。 | 歩き
　　　やま　した　くるま　と　　やま　うえ　てら　ある | ある

ヰ 19. 病院へ行きました。**医者**は「おめでとうございます」 | **医者**
と言いました。今、子どもの名前を**考えて**います。 | **考えて**

曰 20. おじいちゃんは夜、**早く**寝て、朝、**早く**起きます。 | **早く**

田 21. たくさん**買い物**しました。重いです。 | **買い物し**

田 22. 日本の**男の人**は女の人より考え方が古いと**思い**ます。 | **男の人、思い**

立 23. **音**がいいテープレコーダーを買いたいです。**音楽**も | **音、音楽**
聞きますから。

24. ことばの**意味**がわからないとき、友達に聞きます。 | **意味**

屮 25. A：あれは**学校**ですか。B：ええ、さくら**大学**です。 | **学校、大学**

屮 26. 学校の**食堂**はおいしくないです。でも、安いです。 | **食堂**

羊 27. 雪が降っています。みんなコートを**着て**います。 | **着て**

雨 28. 雨の日は部屋が暗いです。**電気**をつけましょう。 | **電気**

II. ⬛⬛

力 1. **男**の田中先生、いらっしゃいますか。 | **男**

ル 2. **先生**、**お元気**ですか。わたしは**元気**です。 | **先生、お元気**

3. **兄**は古い車を**売って**、新しい車を買いました。 | **兄、売って**

女 4. デパートは高いです。スーパーは**安い**です。 | **安い**

子 5. 子どもは**小学生**です。今日は**漢字**を十、習いました。 | **小学生、漢字**

木 6. 雨の日曜日は家で**音楽**を聞きます。**楽しい**です。 | **音楽、楽しい**

日 7．**医者**が**書いた**ダイエットの本です。貸しましょうか。
　　　　　　　　　　　　　　　　　　　ほん　か

| 医者、書いた |
| いしゃ、か |

8．A：何の**音**ですか。
　　　　なん

B：雪の下の川の水の**音**です。山の**春**も近いです。
　　ゆき　した　かわ　みず　　　　　　やま　　　ちか

| 音 |
| おと |

| 春 |
| はる |

心 9．天気が**悪く**なりました。**窓**を閉めましょう。
　　　てんき　　　　　　　　　　　　し

| 悪く、窓 |
| わる、まど |

10．このことばはどんな**意味**だと**思い**ますか。

| 意味、思い |
| いみ、おも |

巛 11．**黒い**シャツを着ているハンサムな**人**はだれですか。
　　　　　　　　　き　　　　　　　　　ひと

| 黒い |
| くろ |

貝 12．パソコンを**買い**ます。いろいろ見てから、**買い**ます。
　　　　　　　　　　　　　　　　み

| 買い |
| か |

13．わたしは**銀行員**です。お金を**貸す**仕事をしています。
　　　　　　　　　　　　かね　　　　しごと

| 銀行員、貸す |
| ぎんこういん、か |

Ⅲ．◨

ナ 1．**友達**の写真です。**右**が田中さん、**左**が山川さんです。
　　　　　　しゃしん　　　　たなか　　　　やまかわ

| 友達、右、左 |
| ともだち、みぎ、ひだり |

广 2．あの**店**は**一度も入った**ことがありません。
　　　　みせ　　いちど　はい

| 店、一度も |
| みせ、いちど |

3．この**店**は料理がおいしいです。**広い**庭もすてきです。
　　　みせ　りょうり　　　　　　　　　　にわ

| 店、広い |
| みせ、ひろ |

尸 4．パン**屋**でパンと飲み物を買います。**昼**に食べます。
　　　　や　　　　の　もの　か　　　　ひる　た

| パン屋、昼 |
| や、ひる |

疒 5．時々、おなかが痛いです。一度、**病院**へ行かないと。
　　　ときどき　　　　いた　　いちど　びょういん　い

| 病院 |
| びょういん |

Ⅳ．◳

又 1．道の右に古い**建物**があります。千年前の**建物**です。
　　　みち　みぎ　ふる　　　　　　　　せんねんまえ

| 建物 |
| たてもの |

辶 2．地図を見ます。この**道**がいちばん**近い**です。
　　　ちず　み

| 道、近い |
| みち、ちか |

3．**友達**が中国へ行きます。空港まで**送り**に行きます。
　　　　　ちゅうごく　い　　くうこう　おく

| 友達、送り |
| ともだち、おく |

4．**来週**、車で旅行に行きます。**友達**が**運転**します。
　　　らいしゅう　くるま　りょこう　い　　　　うんてん

| 来週、友達 |
| らいしゅう、ともだち |

| 運転し |
| うんてん |

走 　5．あしたの朝、早く**起き**ます。出かけますから。 あさ はや で｜**起き**
　　　　　　　　　　　　　　　　　　　　　　　　　　　　　　　　　　お

免 　6．きのうの晩、一時まで**勉強**しました。眠いです。 ばん いちじ ねむ｜**勉強し**
　　　　　　　　　　　　　　　　　　　　　　　　　　　　　　　　　　べんきょう

V. □□□□

□ 　1．**地図**を見ます。あなたの**国**はどこにありますか。｜**地図、国**
　　　　　　み　　　　　　　　　　　　　　　　　　　　　　　　　ちず　くに

冂 　2．今日は**家内**が料理をします。今、**肉**を切っています。｜**家内、肉**
　　　きょう　　　りょうり　　いま　　　き　　　　　　　　　　かない　にく

　　3．このシャツは**千円**です。友達も**同じ**のを買いました。｜**千円、同じ**
　　　　　　　　　　　　ともだち　　　　　か　　　　　　　　　せんえん　おな

門 　4．朝起きたら、窓を**開け**ます。夜寝る前に、**閉め**ます。｜**開け、閉め**
　　　あさお　　まど　あ　　　よるね　まえ　し　　　　　　　　　あ　　し

　　5．毎日**一時間**、日本語のテープを**聞き**ます。｜**一時間、聞き**
　　　まいにち　　にほんご　　　　　　き　　　　　　　　いちじかん　き

凵 　6．あの**映画**で見た山へ一度行きたいです。｜**映画**
　　　　　えいが　み　やま　いちど い　　　　　　　　　えいが

匸 　7．あの病院の**医者**は親切じゃありません。｜**医者**
　　　　びょういん　いしゃ　しんせつ　　　　　　　　　　いしゃ

23

Ⅰ. 読み方

1. 意見 いけん	意見があります　　意見を言います	
2. 花見 はなみ	花見をします　　花見に行きます	
3. 社長 しゃちょう	IMCの社長　　パワー電気の社長　　社長のいす	
4. 終わり お	8月の終わり　　来月の終わり　　去年の終わり	
5. 気 き	気をつけます　　車に気をつけます	
6. 日 ひ	雨の日　　休みの日　　天気がいい日	
7. 字 じ	きれいな字　　下手な字　　上手な字	
8. 大切な たいせつ	大切な本　　大切な手紙　　大切な話	
9. 思い出す おも だ	国を思い出します　　あの人の名前を思い出しました	
10. 食事する しょくじ	レストランで食事します　　食事に行きます	
11. 住む す	アメリカに住みたいです　　東京に住みたいです	
12. 足りる た	ビールが足りません　　いすが1つ足りません	

Ⅱ. 使い方

1. ワット先生は、日本の学生はあまり意見を言わないと言いました。
　わたしも同じ意見です。

2. 社長は今月の終わりにやめます。そして、わたしが社長になります。

3. ひらがなを覚えました。かたかなを覚えました。漢字を220覚えました。
　字の勉強は大変です。

4. 彼女と食事します。彼女の家まで送ります。いつも家の前で、「お休み
　なさい」と言います。早くいっしょに住みたいです。

5. すてきなコートがありましたが、お金が足りませんでした。ですから、
　カードで買いました。

Ⅲ．まとめ

1. 意　意見　意味
2. 見　意見　花見　見る
3. 花　花見　花
4. 社　社長　会社
5. 長　社長　長い
6. 終　終わり　終わる
7. 気　気をつける　天気
8. 日　日　日曜日　日本
9. 字　字　漢字

10. 大　大切な　大きい　大学
11. 切　大切な　切る
12. 思　思い出す　思う
13. 出　思い出す　出す　出る
14. 食　食事する　食堂　食べる
15. 事　食事する　仕事
16. 住　住む　住んでいる
17. 足　足りる　足

Ⅳ．読み物

― 大切な日 ―

　今日は**大切な日**です。仕事が終わって、すぐ会社を出て、レストランへ行きます。レストランの前にマイクが立っています。

「待った？」

「ううん。」

わたしたちはワインを飲んで、**食事**を始めます。わたしは１年前の今日を**思い出**します。１年前の今日、**花見**に行ったとき、初めて彼に会いました。彼は青いシャツを着ていました。友達が言いました。

「こちらはマイク・ミラーさんです。」

今日もマイクは青いシャツを着ています。初めて会った**日**と同じです。

24

I．読み方

1. **試験**
   しけん
   あしたの**試験**　英語の**試験**　**試験**があります
   えいご
2. **問題**
   もんだい
   問題の答え　**問題**を読みます　**問題**があります
   こた　　　　　　よ
3. **答え**
   こた
   試験の**答え**　問題の**答え**　**答え**を書きます
   しけん　　　もんだい　　　　か
4. **用事**
   ようじ
   用事があります　**用事**を思い出します
   おも　だ
5. **〜台**
   だい
   パソコンが2**台**あります　タクシーを3**台**呼びます
   よ
6. **始める**
   はじ
   勉強を**始**めます　テニスを**始**めます
   べんきょう
7. **集める**
   あつ
   切手を**集**めます　テレホンカードを**集**めます
   きって
8. **研究する**
   けんきゅう
   オーストラリアの動物を**研究**しています
   どうぶつ

II．使い方

1. あした、**試験**があります。英語の**試験**です。もう一度、本を読みます。
   えいご　　　　　　　　いちど　ほん　よ

2. アメリカへ留学したいです。でも、ことばやお金など、いろいろな**問
   りゅうがく　　　　　　　　　かね
   題**があります。

3. 今日の**試験**の3番の**問題**は難しかったです。**答え**がわかりませんでした。
   きょう　　　　ばん　　　むずか

4. A：今日、仕事が終わってから、飲みに行きませんか。
   きょう　しごと　お　　　　　の　い
   B：すみません。今日はちょっと**用事**があります。

5. 自動車はありません。でも、自転車が5**台**あります。
   じどうしゃ　　　　　　　　じてんしゃ

6. 時間ですね。パーティーを**始**めましょう。
   じかん

7. 世界の切手を**集**めています。日本の切手も50枚あります。
   せかい　きって　　　　　　にほん　　　　まい

8. 大学で日本語を教えています。**研究**もしています。漢字の教え方の**研究**
   だいがく　にほんご　おし　　　　　　　　　　　かんじ　おし　かた
   です。

始　集　研　究

306　467　348　425

Ⅲ. 書き方

Ⅳ. 読み物

試　験

「これから、**試験**について説明(せつめい)します。」

「**問題**は５枚(まい)あります。それから、答(とう)⁺案用紙(あんようし)*が１枚あります。**答え**は答⁺案用紙に書いてください。」

「**試験**が終わったら、答⁺案用紙だけ**集め**ます。」

「何か質問(しつもん)はありませんか。」

「じゃ、答⁺案用紙に名前と番号(ばんごう)を書いてください。」

「**始め**てください。」

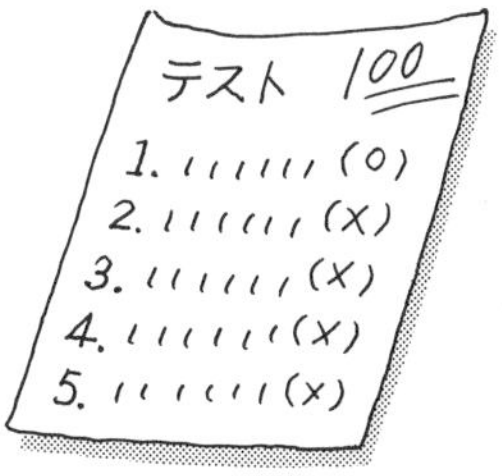

*答案用紙　answer sheet

25

飯	場	正	世	界	急	特
375	292	236	237	440	406	325

Ⅰ. 読み方

1. ご**飯**
   <ruby>飯<rt>はん</rt></ruby>
   朝ご**飯** 昼ご**飯** 晩ご**飯** ご**飯**を食べます

2. 売り**場**
   う ば
   かばん売り**場** 時計売り**場** カメラ売り**場**

3. **正月**
   しょうがつ
   今年のお**正月** 来年のお**正月** 楽しいお**正月**

4. **世界**
   せ かい
   世界の国 **世界**でいちばん高い山

5. **急行**
   きゅうこう
   急行で行きます **急行**に乗ります

6. **特急**
   とっきゅう
   特急に乗ります **特急**で行きます

7. **洋服**＊
   ようふく
   新しい**洋服** **洋服**のデザイン **洋服**を着ます

8. **不便**な
   ふ べん
   不便な所 ここは**不便**です

9. **急**ぐ
   いそ
   急ぎましょう **急**いでください

10. **特**に
    とく
    動物の中で**特**に犬が好きです

Ⅱ. 使い方

1. 今日、朝ご**飯**を食べませんでした。昼ご**飯**も食べませんでした。とても
   おなかがすきました。

2. **お正月**の料理があります。**お正月**の花があります。母と姉は着物を着
   ています。父とわたしは新しいセーターを着ています。「おめでとうご
   ざいます。」

3. 家の近くの駅は**急行**が止まりません。**急**ぐとき、**不便**です。

4. 電車が好きです。**世界**の有名な**特急**に乗りたいです。

5. パーティーがあります。**洋服**を着ますか、着物を着ますか。

6. A：何か質問がありますか。

   B：いいえ、**特**にありません。

＊洋服　Western clothes

Ⅲ．書き方

飯	⺈	⺈	⺈	今	飠	飣	飣	飯	飯
場	⼟	⼟	圵	坍	坍	垀	場	場	場
正	一	丁	下	正	正				
世	一	十	世	世	世				
界	丶	口	四	田	田	畀	界	界	界
急	ノ	ク	⺈	刍	刍	刍	急	急	急
特	ノ	⺁	牛	牛	牜	特	特	特	特
洋	丶	丶	シ	ジ	ジ	汄	汄	洋	洋
不	一	丆	不	不					

Ⅳ．漢字忍者：洋

西洋　the West
せいよう

大西洋　the Atlantic
たいせいよう

東洋　the Orient
とうよう

太⁺平洋　the Pacific
たい　へいよう

インド洋
よう

洋酒
ようしゅ

洋菓子
ようがし

洋服
ようふく

洋室
ようしつ

日本語能力試験の3級漢字のうちユニット26以降で学習する漢字は以下の
とおりです。

The following are the Level 3 kanji of the Japanese Language Proficiency Test, which you will learn after Unit 26.

＊4級漢字　kanji for Level 4

漢字	ことば	ユニット	漢字	ことば	ユニット	漢字	ことば	ユニット
1．遠	遠い とお	26	16．業	卒業する そつぎょう	31	31．注	注意する ちゅうい	39
2．色	色 いろ	27	17．風	風 かぜ	32	32．代	〜代 だい	39
3．声	声 こえ	27	18．夕	夕方 ゆうがた	32	33．死	死ぬ し	40
4．所	台所 だいどころ	27	19．牛	牛乳 ぎゅうにゅう	32	34．都	都合 つごう	40
5．鳥	鳥 とり	27	20．以	〜以内 いない	33	35．合	合う あ	40
6．回	〜回 かい	27	21．質	質問する しつもん	34	36．発	出発する しゅっぱつ	43
7．走	走る はし	27	22．村	村 むら	35	37．暑	暑い あつ	43
8．品	品物 しなもの	28	23．エ	工場 こうじょう	36	38．寒	寒い さむ	44
9．説	小説 しょうせつ	28	24．耳＊	耳 みみ	36	39．頭	頭 あたま	44
10．力	力 ちから	28	25．野	野菜 やさい	36	40．顔	顔 かお	45
11．心	熱心な ねっしん	28	26．菜	野菜 やさい	36	41．働	働く はたら	46
12．通	通う かよ	30	27．低	低い ひく	36	42．薬	薬 くすり	46
13．引	引く ひ	31	28．太	太い ふと	36	43．洗	洗う あら	48
14．空＊	空 そら	31	29．弱	弱い よわ	36	44．私	私 わたし	50
15．文	作文 さくぶん	31	30．別	特別な とくべつ	37			

その他の3級漢字

The following 12 kanji will complete the whole of Level 3 kanji.

区、県、光、産、市、首、進、森、池、民、門、林

漢字
ユニット26〜50

ユニット26〜50

Each of these units corresponds with the lessons in
the main textbook of みんなの日本語初級Ⅱ.

『みんなの日本語初級Ⅱ』本冊の第26課から第50課に対応する
ユニットです。

I. 読み方

Ａ 1. **絵**（え）　　花の絵（はな）　　魚の絵（さかな）　　動物の絵をかきます（どうぶつ）

2. **会議**（かいぎ）　　会議室（しつ）　　会議があります　　会議をします

3. **辞書**（じしょ）　　英語の辞書（えいご）　　日本語の辞書（にほんご）　　辞書の使い方（つか　かた）

4. **柔道**（じゅうどう）　　柔道が好きです（す）　　柔道をします　　柔道を教えます（おし）

5. **駐車場**（ちゅうしゃじょう）　　スーパーの駐車場　　駐車場に車を止めます（くるま　と）

6. **帽子**（ぼうし）　　大きい帽子（おお）　　小さい帽子（ちい）　　子どもの帽子（こ）

7. **湯**（ゆ）　　熱いお湯（あつ）　　ふろに湯を入れます（い）

8. **横**（よこ）　　デパートの横　　彼の横に立ちます（かれ　た）

9. **遠い**（とお）　　遠い国（くに）　　遠い町（まち）　　駅まで遠いです（えき）

10. **欲しい**（ほ）　　欲しいＣＤがありません　　お金が欲しいです（かね）

11. **遅れる**（おく）　　会議に遅れます（かいぎ）　　学校に遅れます（がっこう）

Ｂ 1. **気分**（きぶん）　　いい気分　　気分がいいです　　気分が悪いです（わる）

2. **今度**（こんど）　　今度の日曜日（にちようび）　　今度の休み（やす）　　今度のクリスマス

3. **新聞社**（しんぶんしゃ）　　外国の新聞社（がいこく）　　日本の新聞社（にほん）　　新聞社で働きます（はたら）

II. 使い方

1. 来年、イタリアへ**絵**の勉強に行きます。イタリア語の勉強もしたいです。（らいねん　べんきょう　い　ご）

2. **会議**が終わってから、みんなでお酒を飲みに行きました。（お　さけ　の　い）

3. １週間に３回**柔道**をします。スポーツの中で**柔道**がいちばん好きです。（しゅうかん　かい　なか　す）

4. 教室で**帽子**をかぶってはいけません。教室に入る前に、⁺脱いでください。（きょうしつ　はい　まえ　ぬ）

横　遠　欲　遅
331　506　388　505

5．犬の**横**で⁺猫が寝ています。すぐ写真を撮りましょう。
　　いぬ　　　ねこ　　ね　　　　　　　しゃしん　と
6．電車が1時間**遅れ**ました。大切な**会議**に**遅れ**ました。
　　でんしゃ　じかん　　　　　　たいせつ
7．子どもは**欲しい**ですが、⁺結⁺婚はしたくないです。
　　こ　　　　　　　　　　　けっ　こん

Ⅲ．書き方

絵	く	幺	糸	糽	糸	給	絵	絵
議	言	言	訃	詳	詳	諽	議	議
辞	二	千	舌	舌	舌	辞	辞	辞
柔	ラ	マ	ヌ	予	矛	柔	柔	柔
駐	I	厂	爪	馬	馬	馬	駐	駐
帽	I	ロ	巾	帅	帄	帄	帽	帽
湯	シ	ジ	沪	沪	涅	湡	湯	湯
横	木	杧	杧	栏	栏	槵	横	横
遠	十	土	吉	声	寺	袁	遠	遠
欲	ノ	ハ	ク	公	谷	谷	欲	欲
遅	フ	コ	尸	尸	戸	屖	遲	遅

Ⅰ. **タスク：読み方は①と②のどちらですか。**

1. **会** ① あ（う）　② かい

   a. 友達に会います。　b. 会社で働きます。　c. 会議をします。

2. **書** ① か（く）　② しょ

   a. 手紙を書きます。　b. 図書館へ行きます。　c. 辞書を使います。

3. **道** ① みち　② どう

   a. 書道を習います。　b. 道を曲がります。　c. 柔道を習います。
   calligraphy

4. **車** ① くるま　② しゃ

   a. 電車で行きます。　b. 駐車場に車を止めます。　c. 車を買います。

5. **子** ① こ　② し

   a. 女の子がいます。　b. 子どもが生まれます。

   c. 帽子をかぶります。

6. **新** ① あたら（しい）　② しん

   a. 新しい服を着ます。　b. 新聞社で働きます。

   c. 新⁺幹⁺線に乗ります。

解答　1. a.① b.② c.② 　2. a.① b.② c.② 　3. a.② b.① c.② 　4. a.② b.② c.①
5. a.① b.① c.② 　6. a.① b.② c.②

Ⅱ. 読み物

― 日曜日の図書館 ―

　先週の日曜日、近くの図書館へ行きました。**辞書**で日本語のことばの意味を調べました。2時間かかりました。それから、**柔道**の本を読みました。**柔道**の本は**絵**や写真がたくさんあってよくわかりました。来月から学校で**柔道**を習います。少し疲れましたから、図書館の**横**の喫茶店でコーヒーを飲みました。それから、また、図書館へ行って、ビデオで映画を見ました。図書館で映画を見ることができますから、とても便利です。でも、新しい映画はありません。図書館を出るとき、**柔道**の本を借りました。**辞書**とビデオは借りることができませんでした。早く日本語の**辞書**を買わなければなりません。お金があったら、電子***辞書**が欲しいです。小さくて便利ですから。

* 電子〜　electronic 〜

27 　景　色　声　所　具　鳥　昔
435　402　421　387　438　518　468

Ⅰ. 読み方

A 1. 景色 (けしき) 　すばらしい**景色**　　**景色**がいいです

2. 声 (こえ) 　子どもの**声**　　**鳥**(とり)の**声**

3. 台所 (だいどころ) 　広い台所 (ひろ)　　きれいな台所　　明るい台所 (あか)

4. 道具 (どうぐ) 　便利な道具 (べんり)　　スキーの道具を借ります (か)

5. 鳥 (とり) 　大きい鳥 (おお)　　小さい鳥 (ちい)　　青い鳥 (あお)　　白い鳥 (しろ)

6. 昔 (むかし) 　昔の話 (はなし)　　昔の写真 (しゃしん)　　昔の友達 (ともだち)

7. 夢 (ゆめ) 　わたしの**夢**　　**夢**を見ます (み)

8. ～回 (かい) 　1日に1回 (にち)　　何回 (なん)

9. 泳ぐ (およ) 　海で泳ぎました (うみ)　　500メートル泳ぎました

10. 座る (すわ) 　いすに座ります　　彼の横に座ります (かれ)(よこ)

11. 走る (はし) 　駅まで走ります (えき)　　毎朝走ります (まいあさ)

12. 役に立つ (やく)(た) 　仕事の役に立ちます (しごと)　　勉強の役に立ちます (べんきょう)

B 1. 昼間 (ひるま) 　昼間は家にいません (いえ)　　昼間は電気を消します (でんき)(け)

2. 聞こえる (き) 　ピアノの音が聞こえます (おと)　　子どもの声が聞こえます (こ)(こえ)

3. 見える (み) 　家から図書館が見えます (いえ)(としょかん)　　駅から海が見えます (えき)(うみ)

4. 建てる (た) 　家を建てます (いえ)　　ホテルを建てます

5. 開く (ひら) 　店を開きます (みせ)　　事務所を開きます (じむしょ)

Ⅱ. 使い方

1. 時々、母の**声**を思い出します。でも、今、母はいません。
(ときどき)(はは)　　(おも)(だ)　　　(いま)

2. 日曜日の午後は**台所**を＋掃＋除します。**台所**の＋掃＋除はわたしの仕事で
(にちようび)(ごご)　　　　　(そうじ)　　　　　　　　　　(しごと)
す。

3. おじいさんに**道具**の使い方を教えてもらって、いすを作りました。
　　　　　　(つか)(かた)(おし)　　　　　　　(つく)

夢	回	泳	座	走	役
413	512	277	488	420	268

4．おばあさんはいつも**昔**を思い出して、**昔**はよかったと言います。

5．先月、会社をやめました。でも、時々、会社で働いている**夢**を見ます。

6．A：1日に何**回**薬を飲みますか。　　B：3**回**飲みます。

7．パソコンは、レポートを書くとき、**役**に立ちます。

Ⅲ．書き方

景	冂	日	早	旦	昌	景	景	景	景
色	ノ	ク	夕	色	色	色			
声	一	十	士	吉	吉	吉	声		
所	一	コ	ヨ	戸	戸	所	所	所	
具	丨	冂	月	月	目	且	具	具	
鳥	ノ	イ	冂	冃	甪	自	鳥	鳥	鳥
昔	一	十	艹	共	井	苦	昔	昔	
夢	艹	芍	茜	茜	芦	莒	夢	夢	夢
回	丨	冂	冂	回	回	回			
泳	丶	冫	氵	氵	汀	汀	泳	泳	
座	丶	亠	广	广	广	庈	座	座	座
走	一	十	土	丰	丰	走	走		
役	ノ	ク	イ	彳	彴	役	役		

I. タスク

1.（ ア ）で料理を作ります。
料理を作るとき、いろいろな（ イ ）を使います。

a. 道具　b. 台所

2. わたしの（ ア ）は、自分で家を（ イ ）ことです。
姉の（ ア ）は、英語教室を（ ウ ）ことです。

a. 開く　b. 建てる　c. 夢

3. 海で（ ア ）ました。それから、歩いてホテルへ帰りました。
ホテルの窓から海と山が（ イ ）ます。すばらしい（ ウ ）です。
窓を開けると、（ エ ）の（ オ ）が（ カ ）ます。

a. 景色　b. 聞こえ　c. 泳ぎ　d. 鳥　e. 見え　f. 声

解答　1. ア.b　イ.a　2. ア.c　イ.b　ウ.a　3. ア.c　イ.e　ウ.a　エ.d　オ.f　カ.b

II. 読み物

今年の夏、彼女と⁺沖⁺縄へ行った。
かのじょ

東京から飛行機で2時間半。そこは南の島。
ひこうき しま

空港でホテルへ行く道を聞いた。
くうこう

空港の人は地図をくれて、親切に教えてくれた。

⁺沖⁺縄の人はみんな親切だ。

ホテルの窓から海が**見える**。そして、窓を開けると、⁺波の音が**聞こえる**。

すばらしい**景色**。夢。楽園^{*2}。
らくえん

⁺沖⁺縄の海はほんとうにきれいだった。海の中を魚が**泳いでいた**。

朝から晩まで彼女と**泳いだ**。

夜、海辺^{*3}に**座って**、星^{*4}を見た。
うみ べ ほし

9月。秋。東京の生活。仕事。忙しい毎日。
せいかつ いそが

早く彼女に会いたい。

---

^{*1} 思い出 memory　　^{*2} 楽園 paradise　　^{*3} 海辺 beach　　^{*4} 星 star

28　形　品　慣　説　将　力　熱

386　418　302　362　303　221　475

I. 読み方

A 1. 形
かたち
きれいな**形**　　**形**がいいです

2. 品物
しなもの
このデパートは**品物**が多いです
おお

3. 習慣
しゅうかん
いい**習慣**　　悪い**習慣**　　**習慣**が違います
わる　　　　ちが

4. 小説
しょうせつ
おもしろい**小説**　　**小説**を読みます
よ

5. 将来
しょうらい
将来の仕事　　**将来**の夢
しごと　　　　ゆめ

6. 力
ちから
力があります　　**力**が強いです
つよ

7. 熱
ねつ
高い**熱**　　**熱**があります
たか

8. 熱心な
ねっしん
熱心な学生　　**熱心な**先生
がくせい　　　せんせい

9. 眠い
ねむ
眠いです　　**眠く**なります　　毎日**眠い**です
まいにち

10. 優しい
やさ
優しい人　　**優しい**声　　父は**優しい**です
ひと　　　　こえ　　ちち

11. 選ぶ
えら
車を**選びます**　　仕事を**選びます**
くるま　　　　しごと

12. 通う
かよ
大学に**通います**　　病院に**通います**
だいがく　　　　びょういん

13. 経験する
けいけん
いろいろな仕事を**経験**します
しごと

B 1. 味
あじ
味がいいです　　**味**を見ます
み

2. 会話
かいわ
楽しい**会話**　　日本語で**会話**をします
たの　　　　にほんご

3. 色
いろ
きれいな**色**　　**色**がいいです

II. 使い方

1. いくら**味**がよくても、**形**が悪い果物は売れません。
わる　くだもの　う

2. 中国と日本ではいろいろ**習慣**が違います。
ちゅうごく　にほん　　　　　　　ちが

3. 大学に**通い**ながらコンピューターの会社で働いています。**将来**は自分
だいがく　　　　　　　　　　　　かいしゃ　はたら　　　　　　　　　じぶん
で会社を作って社長になりたいです。
つく　しゃちょう

4. 土曜日の夜はたいてい一人でお酒を飲みながら、**小説**を読んでいます。
どようび　よる　　　　　ひとり　さけ　の　　　　　　　　よ

26 — ユニット 28

心	眠	優	選	通	経
231	344	267	508	502	352

5. 勉強よりアルバイトに**熱心な**学生がたくさんいます。
　べんきょう　　　　　　　　　　　　　　がくせい

6. きのう、ニューヨークから東京へ来ました。まだ**眠くて**、頭が痛いです。
　　　　　　　　　　とうきょう　き　　　　　　　　　　　あたま　いた

Ⅲ. 書き方

形	一	二	干	开	形	形	形		
品	丶	ロ	ロ	吕	吕	品	品	品	
慣	丷	忄	忄	忄	慣	慣	慣	慣	
説	亠	亖	言	訁	訊	説	説	説	説
将	丨	丬	丬	斗	斗	斗	斗	沪	将
力	フ	力							
熱	十	土	圥	丸	幸	刲	執	執	熱
心	丶	心	心	心					
眠	冂	日	日	目	町	眅	眠	眠	眠
優	亻	亻	价	值	值	侽	優	優	優
選	フ	ユ	ㄹ	巴	巴	巽	巽	巽	選
通	フ	マ	尸	丙	甬	甬	涌	通	通
経	く	幺	糸	糸	紀	叙	経	経	経

I. チャレンジ：習った漢字で新しいことばを作りましょう。

1. **通** ＋ 学 25 → 通学する　go to school

   毎日、学校に通います。電車で通学します。

2. 人 36 ＋ **形** → 人形　doll

   子どものとき買ってもらった人形です。今も大切にしています。

3. 手 77 ＋ **品** → 手品　jugglery

   兄は手品が上手です。みんな手品を見て、「すごい」と言います。

4. 冬 191 ＋ **眠** → 冬眠する　hibernate

   クマ*1 やヘビ*2 は冬眠しますが、犬や猫はしません。

   *1クマ bear　*2ヘビ snake

5. **説** ＋ 明 133 ＋ 書 93 → 説明書　manual

   何回も説明書を読みましたが、パソコンの使い方がわかりません。

6. **選** ＋ 手 77 → 選手　player, athlete

   姉はテニスの選手です。妹は柔道の選手です。

Ⅱ. 読み物

山田夏子
やま だ なつ こ

　わたしは、今、大学２年生[*1]です。わたしの[+]専[+]門は電気工学[*2]です。毎日、昼は大学に通って、夜はコンピューターの会社でアルバイトをしています。将来は、自分でコンピューターソフトの会社を作って、社長になりたいです。世界中[*3]の人がわたしが作ったソフトを使う──それが将来の夢です。でも、卒業する[*4]前に旅行をしたり、ボランティアに参[+]加したりして、いろいろ経験したいです。

[*1] ２年生 sophomore　　[*2] 電気工学 electrical engineering　　[*3] 世界中 all over the world
[*4] 卒業する graduate

花田春男
はな だ はる お

　わたしは、今、大学の４年生[*1]です。[+]専[+]門は医学[*2]です。でも、医者になりたくないです。わたしは、子どものときからピアノを習っています。今もピアノが好きです。毎日ピアノの練習をしています。ですから、将来はピアニスト[*3]になりたいです。

[*1] ４年生 senior　　[*2] 医学 medicine　　[*3] ピアニスト pianist

29 喫 辺 神 妻 忘 側 落
312 497 336 462 471 263 414

Ⅰ. 読み方

A 1. 喫茶店 　近くの喫茶店　　コーヒーがおいしい喫茶店
きっさてん　　ちか

2. ～辺 　この辺　　あの辺　　どの辺
へん

3. 神社 　古い神社　　小さい神社　　近くの神社
じんじゃ　ふる　　　　ちい　　　　　ちか

4. 妻 　優しい妻　　妻の兄　　妻は医者です
つま　　やさ　　　あに　　　　いしゃ

5. 忘れ物 　忘れ物をしました　　部屋に忘れ物がありました
わす もの　　　　　　　　　　へや

6. ～側 　左側　　右側　　山側　　海側
がわ　　ひだり　みぎ　　やま　　うみ

7. 落とす 　パスポートを落としました　　コップを落としました
お

8. 消える 　電気が消えています　　ガスが消えました
き　　　でんき

9. 汚れる 　車が汚れます　　服が汚れました
よご　　くるま　　　　　ふく

10. 忘れる 　カメラを忘れました　　電話番号を忘れました
わす　　　　　　　　　　でんわ ばんごう

11. 割れる 　コップが割れました　　窓ガラスが割れました
わ　　　　　　　　　　　　まど

12. 全部 　ご飯を全部食べました　　テープを全部聞きました
ぜんぶ　　はん　　た　　　　　　　　　き

B 1. 開く 　ドアが開きます　　銀行は9時に開きます
あ　　　　　　　　　ぎんこう　じ

2. 閉まる 　ドアが閉まります　　あの店は10時に閉まります
し　　　　　　　　　　　　みせ　　じ

Ⅱ. 使い方

1. 喫茶店で彼女に会います。
かのじょ あ

2. この辺でワインを売っている店を知りませんか。
う　　　みせ し

3. 毎年、お正月は家族と近くの神社へ行きます。
まいとし　しょうがつ　かぞく ちか　　　　い

4. 妻の⁺誕生日にはプレゼントをします。
たんじょう び

5. このホテルは山側の部屋のほうが海側の部屋より高いです。
やま へや　　　　　うみ　　へや　　たか

6. 大切な手⁺帳をどこかで落としてしまいました。
たいせつ て ちょう　　　　お

7. 車が汚れています。彼女が乗る前に、洗わなければなりません。
くるま　　よご　　　　　かのじょ の まえ　　あら

消	汚	割	全
285	273	383	400

8. 駅にはいろいろな**忘れ物**がありますが、犬を**忘れて**しまった人もいます。
  <small>えき</small>　　　　　　　　　　　　　　　<small>いぬ</small>　　　　　<small>ひと</small>

9. テニスをしているとき、眼鏡が**割れて**しまいました。
  <small>めがね</small>

10. 彼女が作った料理を**全部**食べました。そして、薬を飲みました。
  <small>かのじょ つく りょうり</small>　　<small>た</small>　　　　　　　<small>くすり の</small>

Ⅲ. 書き方

喫	ロ	ロ	ロ+	叨	喞	喞	喫	喫	喫
辺	フ	刀	刃	辺	辺				
神	`	ラ	ネ	ネ	ネ	初	祀	神	神
妻	一	ヨ	ヨ	ヨ	妻	妻	妻	妻	
忘	`	亠	亡	亡	忘	忘	忘		
側	イ	化	仰	但	但	俱	俱	倶	側
落	一	艹	艿	艻	莎	莈	茨	落	落
消	`	シ	ジ	ジ	ジ	汃	消	消	消
汚	`	`	シ	ジ	汀	汚			
割	`	宀	宀	中	宔	宝	害	割	割
全	ノ	人	仝	仐	全	全			

I. タスク：漢字を作ってください。
かんじ　　つく

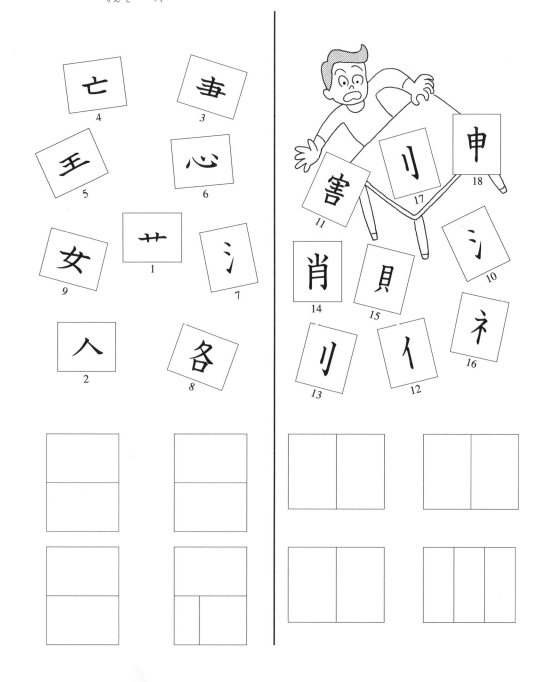

解答　4-6 忘　2-5 全　3-9 妻　1-7-8 落　16-18 神　10-14 消　11-13 割　12-15-17 側
かいとう

II. 読み物

大変な忘れ物
たいへん

　妻とわたしは 1978 年 12 月 8 日に結婚しました。毎年、12 月 8 日にはレストランで食事をしたり、プレゼントをしたりします。去年は妻に時計をプレゼントしました。妻はわたしにかばんをくれました。

　きのうは 12 月 8 日でした。夜 10 時に家に帰りました。机の上にネクタイがありました。「これ、どうしたの？」と妻に言いましたが、妻は何も言いませんでした。そのとき、思い出しました。「あ、今日は結婚記念日*1 だ」。わたしは 1 年でいちばん大切な日を忘れたのです。妻は台所へ行きました。そして、はさみでネクタイを切ってしまいました。

　今日、プレゼントの品物を持って、それから花も買って、ワインも買って、家に帰りました。机の上には大きい手帳がありました。妻がくれたプレゼントです。すぐ手帳を開けました。来年の 12 月 8 日に大きい♥がありました。ホッ*2。

　　　　　　　　　　　　　　　　　　　　　1999 年 12 月 9 日の日記

*1 結婚記念日 wedding anniversary　　*2 ホッ sigh of relief

30 皿 隅 机 引 箱 予 定

240 296 326 305 449 229 424

Ⅰ. 読み方

A 1. お皿　　　　大きいお皿　　小さいお皿　　お皿を洗います

2. 隅　　　　　部屋の隅　　引き出しの隅

3. 机　　　　　机の上　　机の下　　机の横

4. 引き出し　　机の引き出し　　引き出しの中

5. 箱　　　　　箱の中　　ビールの箱

6. 予定　　　　あしたの予定　　夏休みの予定

7. 冷たい　　　冷たい水　　冷たいビール　　冷たい飲み物

8. 置く　　　　お皿の横にフォークを置きます

9. 掛ける　　　コートを掛けます　　壁に絵を掛けます

10. 片づける　　机の上を片づけます　　道具を片づけます

11. 引く　　　　ドアを引きます

12. 復習する　　漢字を復習します　　日本語の会話を復習します

13. 予習する　　漢字を予習します　　日本語の会話を予習します

14. 予約する　　ホテルを予約します　　チケットを予約します

B 1. お子さん　　お子さんはおいくつですか

2. 人形　　　　紙の人形　　大きい人形　　日本人形

3. 知らせる　　予定を知らせます　　会議の時間を知らせます

Ⅱ. 使い方

1. 引き出しの隅に手紙がありました。昔、彼女がくれた手紙です。

2. 机の上にパソコンを置きました。彼の写真は本+棚に置きました。

3. パーティーの前に、ビールを箱から出して、冷+蔵+庫に入れておきます。

冷	置	掛	片	復	約
254	439	321	228	272	350

4．夏休みの**予定**をカレンダーに書きました。1週間しか休めません。

5．わたしは夏でも**冷たい**コーヒーより＋温かいコーヒーのほうが好きです。

6．あした友達が来ます。それで、部屋を**片**づけました。

7．習った漢字を**復習**します。そして、あした習う漢字を**予習**しておきます。

Ⅲ. 書き方

皿	丶	冂	冊	皿	皿			
隅	ﾉ	阝	阝	阝	阡	隅	隅	隅
机	一	十	木	机	机			
引	⁊	コ	弓	引				
箱	ﾉ	ﾉ	竹	竹	竿	筲	箱	箱
予	ﾏ	マ	予	予				
定	丶	ﾍ	宀	宁	宇	宇	定	定
冷	丶	ﾝ	ﾝ	冷	冷	冷	冷	
置	丶	冂	罒	罒	罒	罤	置	置
掛	十	扌	扌	扌	扞	挂	掛	掛
片	ﾉ	ﾉ	片	片				
復	ﾉ	彳	彳	犭	袧	復	復	復
約	乙	幺	幺	糸	糸	糸	約	約

I. タスク

1. 冷蔵庫
   れい ぞう こ

2. お皿

3. 机

4. 予定

5. 人形

   ・ a. 手帳、旅行
        て ちょう りょこう

   ・ b. 子ども、遊ぶ
        こ   あそ

   ・ c. 食べ物、割れる、1枚
        た もの わ   まい

   ・ d. ビール、ジュース、アイスクリーム

   ・ e. 引き出し、勉強
                  べんきょう

II. タスク：（　　）には a. b. c. のどれが入りますか。
                                    はい

> a. 予約 b. 予定 c. 予習

1. 来月、中国へ行く（b. 予定）です。
   らいげつ ちゅうごく い

2. あしたは何も（　　　　　　）がありません。
            なに

3. 毎晩、復習してから（　　　　　）します。
   まいばん

4. ホテルを（　　　　　）しました。

5. 課長の（　　　　　　）を聞いてください。
   か ちょう   き

6. ビデオの（　　　　　）を忘れてしまいました。
                          わす

解答 I. 2.c 3.e 4.a 5.b   II. 2.b 3.c 4.a 5.b 6.a
かいとう

Ⅲ. 読み物

--- パーティーの⁺準⁺備 ---
じゅん び

　今日は妻の⁺誕生日です。5時からパーティーをします。彼女の友達が
たくさん来ます。家の中を**片づけて**おかなければなりません。

メ　モ

2:00　ワインを**箱**から出して、冷⁺蔵⁺庫に入れておく
　　　　　　　　　　　　　れい ぞう こ

3:00　テーブルの上に花と**お皿**を**置いて**おく

　　　お皿の横にナイフとフォークを**置いて**おく

　　　部屋の⁺壁に彼女の好きな絵を**掛けて**おく
　　　　　　かべ

4:00　部屋の**隅**にＣＤプレイヤー*を**置いて**おく

　　　ジャズのＣＤを5枚ぐらい**置いて**おく
　　　　　　　　　　まい

　　　プレゼントの品物（日本**人形**）を**箱**に入れておく

*ＣＤプレイヤー　CD player

復習 1（～ユニット 30）

I. | 言 | 試 | 議 | 説 |
| | 361 | 364 | 362 |

1. あした英語の＿＿験があります。
  えいご　　　し　けん
2. 会＿＿は 3 時からです。
  かい　ぎ　　　じ
3. 小＿＿を書きます。
  しょう せつ　か

II. | 門 | 開 | 閉 | 問 | 間 |
| | 214 | 215 | 516 | 86 |

1. この＿＿題は難しいです。
  もん　だい　むずか
2. 料理教室を＿＿きます。
  りょう り きょうしつ　ひら
3. あ、窓が＿＿いていますよ。寒いですから、閉めましょう。
  まど　あ　　　　　　　　　さむ　　　　　し
4. 図書館は何時に＿＿まりますか。
  と しょかん なんじ　し
5. 昼＿＿は働いていますから、夜、学校へ行っています。
  ひる ま　はたら　　　　　　よる　がっこう　い

III. | 辶 | 辺 | 通 | 遅 | 遠 | 選 |
| | 497 | 502 | 505 | 506 | 508 |

1. 電車で学校に＿＿っています。1 時間半かかります。＿＿いです。
  でんしゃ　がっこう　かよ　　　　　　じ かんはん　　　　　　　とお
2. この＿＿は交通が不便です。
  へん　こうつう　ふ べん
3. 約束の時間に＿＿れてしまいました。
  やくそく　じ かん　おく
4. ネクタイはいつも自分で＿＿びます。
  じ ぶん　えら

解答　I. 1. 試　2. 議　3. 説　II. 1. 問　2. 開　3. 開　4. 閉　5. 間
かいとう　III. 1. 通、遠　2. 辺　3. 遅　4. 選

Ⅳ. 漢字を作ってください。

1. 土 + 止　　危ないですから、＿＿らないでください。
　　　　　　　　あぶ　　　　　　　　　　はし

2. 士 + 尸　　大きい＿＿で言ってください。
　　　　　　　　おお　　こえ　い

Ⅴ.「日」がある字はどれですか。

1. 湯　　お湯を入れて、3分待ちます。
　　　　　ゆ　い　　　　ぷんま

2. 場　　1）駐車場がありません。　2）下着売り場はどこですか。
　　　　　　ちゅうしゃじょう　　　　したぎう　ば

3. 帽　　おばあちゃんに買ってもらった帽子をかぶります。
　　　　　　　　　　　　か　　　　　　　ぼうし

4. 箱　　その箱に触らないでください。
　　　　　　はこ　さわ

5. 景　　ここは景色がいいです。
　　　　　　　けしき

6. 具　　使った道具を片づけます。
　　　　　つか　どうぐ　かた

7. 昔　　昔はここは海でした。
　　　　　むかし　　　うみ

Ⅵ. 反対の意味のことばはどれですか。
　　はんたい　いみ

1. 近い　↔　遠い　　　　4. 立つ　↔　＿＿＿＿＿
　　ちか　　　　　　　　　　　　た

2. 今　↔　＿＿＿＿＿　　5. 拾う　↔　＿＿＿＿＿
　　いま　　　　　　　　　　　ひろ

3. 答え　↔　＿＿＿＿＿
　　こた

遠い	昔	問題	座る	落とす
とお	むかし	もんだい	すわ	お

解答　Ⅳ. 1. 走　2. 声　　Ⅴ. 1、2、3、5、7
かいとう　Ⅵ. 2. 昔　3. 問題　4. 座る　5. 落とす

31 空 港 文 務 園 飛 機
426 289 396 349 513 252 333

I. 読み方

A 1. 空港 外国の空港　広い空港
　　くうこう　がいこく　　　　ひろ

2. 作文 日本語の作文　作文を書きます
　　さくぶん　にほんご　　　　　　か

3. 事務所 会社の事務所　大学の事務所
　　じむしょ　かいしゃ　　　　だいがく

4. 動物園 大きい動物園　動物園へ行きます
　　どうぶつえん　おお　　　　　　　い

5. 飛行機 飛行機に乗ります　飛行機が空港に着きます
　　ひこうき　　　　の　　　　　　　　くうこう　つ

6. 普通 普通の人　普通の日　普通のサラリーマン
　　ふつう　　　ひと　　　ひ

7. ～式 入学式　卒業式
　　しき　にゅうがく　そつぎょう

8. 受ける 試験を受けます
　　う　　しけん

9. 卒業する 大学を卒業します　来年、卒業します
　　そつぎょう　だいがく　　　　　　らいねん

10. 連れて～ パーティーに家族を連れて行きます
　　つ　　　　　　　　かぞく　　　　い

11. 残る お金が残ります　事務所に残ります
　　のこ　かね　　　　　　じむしょ

B 1. 教会 古い教会　日曜日は教会へ行きます
　　きょうかい　ふる　　　にちようび　　　　い

2. 入学する 大学に入学します　来月、入学します
　　にゅうがく　だいがく　　　　　　らいげつ

3. 始まる 10時に会議が始まります　学校は4月に始まります
　　はじ　じ　かいぎ　　　　　　がっこう　がつ

II. 使い方

1. A：この飛行機は何時に着きますか。
　　　　　ひこうき　なんじ　つ

　　B：8時にケネディ空港に着く予定です。
　　　　　じ　　　　　くうこう　つ　よてい

2. 普通の日はお酒を飲みません。でも、日曜日はたいてい飲みます。
　　ふつう　ひ　さけ　の　　　　　　　　にちようび　　　　　の

3. 今度の日曜日は午前に息子の卒業式、午後に娘の+結+婚式があります。
　　こんど　にちようび　ごぜん　むすこ　そつぎょう　ごご　むすめ　けっこん

4. アメリカへ留学する前に、英語の試験を受けなければなりません。
　　　　　りゅうがく　まえ　えいご　しけん　う

5．来年、中国へ留学します。子どもを**連**れて行こうと思っています。
<small>らいねん ちゅうごく りゅうがく　　　　　　　こ　　　　　　い　　おも</small>

6．⁺奈⁺良には世界でいちばん古い、木の建物が**残**っています。
<small>な　ら　せかい　　　　　　　ふる　き　たてもの</small>

Ⅲ．書き方

空	`	`	宀	宀	空	空	空	
港	氵	氵	沪	洴	洴	洪	洪	港
文	`	亠	ナ	文				
務	マ	ヌ	予	予	矛	矛	敄	務	務
園	丨	冂	門	周	閜	閜	園	園	園
飛	て	て	飞	飞	飞	飛	飛	飛
機	木	朾	松	桜	桜	機	機	機	機
普	`	丷	쓰	쓰	쓰	並	普	普	普
式	一	二	弌	式	式	式		
受	`	`	`	`	爫	受	受	受
卒	`	亠	广	坊	坊	夳	卒	卒
業	丷	丷	丷	业	业	丵	業	業	業
連	一	厂	冎	旦	亘	車	車	連	連
残	一	厂	万	歹	歹	殅	残	残	残

Ⅰ．タスク

1．事務所 ・	・ a．空港
2．飛行機 ・	・ b．学校 がっこう
3．入学式と卒業式 ・	・ c．教会
4．⁺結⁺婚式 けっ　こん ・	・ d．会社 かいしゃ

5．普通の日 ひ ・	・ e．1時に始まります じ
6．作文 ・	・ f．ライオン*がいます
7．会議 かいぎ ・	・ g．月曜日から金曜日まで げつようび　きんようび
8．動物園 ・	・ h．日本語で書きます にほんご か

*ライオン lion

Ⅱ．タスク

奥さんは？
おく

今度は妻を
こんど　つま
{ a．連れて行きます
{ b．連れて来ます

解答　Ⅰ．2.a　3.b　4.c　5.g　6.h　7.e　8.f　　Ⅱ．b
かいとう

Ⅲ．読み物

3人の「来年の春、大学を卒業したら」

─＜山田さん＞────────────────

　来年の春、大学を卒業したら、**空港の事務所**で働くつもりです。子どものときから**飛行機**が好きです。毎日、**事務所から飛行機**が見えます。**飛行機**を見ながら仕事ができます。でも、**卒業する**前に、試験を受けなければなりません。

　それで、今年の夏休みは大学に**残って**、図書館で勉強するつもりです。

─＜川上さん＞────────────────

　来年の春、大学を**卒業したら**、**動物園**で働こうと思っています。2、3年はアルバイトですが、いつか大学院で動物学*を研究しようと思っています。

　いろいろな経験をしながら大学院へ行く⁺準⁺備をする予定です。

*動物学 zoology

─＜田中さん＞────────────────

　来年の春、大学を**卒業したら**、アメリカへ留学しようと思っています。将来の仕事はまだ決めていませんが、英語を勉強して、将来は国際⁺的な*仕事をしたいと思っています。

*国際的な international

32 風 星 雪 夕 牛 乳 最
514 434 453 222 227 380 436

Ⅰ. 読み方

A 1. 風
　　かぜ
　　冷たい風　　強い風　　風が強いです　　風が吹きます
　　つめ　　つよ　　　　　　　　　　　　ふ

2. 星
　　ほし
　　明るい星　　大きい星　　冬の星　　星が見えます
　　あか　　おお　　ふゆ　　み

3. 雪
　　ゆき
　　白い雪　　雪の日　　雪が降ります
　　しろ　　ひ　　ふ

4. 夕方
　　ゆうがた
　　夕方の空　　夕方になります　　夕方から雨になります
　　そら　　　　　　　　　　　　あめ

5. 牛乳
　　ぎゅうにゅう
　　おいしい牛乳　　冷たい牛乳　　牛乳を飲みます
　　　　　　　　つめ　　　　　　　の

6. 最近
　　さいきん
　　最近の学生　　最近のこと　　最近、忙しいです
　　がくせい　　　　　　　　いそが

7. 勝つ
　　か
　　試合に勝ちます　　日本が勝ちました
　　しあい　　にほん

8. 負ける
　　ま
　　試合に負けます　　日本が負けました
　　しあい　　にほん

9. 続く
　　つづ
　　雨が続きます　　試合が続きます　　熱が続きます
　　あめ　　しあい　　ねつ

10. 続ける
　　つづ
　　話を続けます　　日本語の勉強を続けます
　　はなし　　にほんご　　べんきょう

11. 直す
　　なお
　　自転車を直します　　服のサイズを直します
　　じてんしゃ　　ふく

12. 直る
　　なお
　　コンピューターが直ります　　時計が直ります
　　　　　　　　　　　　とけい

13. 治る
　　なお
　　けがが治ります　　病気が治ります
　　　　　　びょうき

14. 登る
　　のぼ
　　山に登ります　　木に登ります
　　やま　　き

15. 戻る
　　もど
　　会社に戻ります　　30分で戻ります
　　かいしゃ　　ぶん

B 1. 月
　　つき
　　月と星　　月旅行　　月がきれいです　　月へ行きます
　　ほし　　りょこう　　　　　　　　い

2. 空
　　そら
　　青い空　　広い空　　きれいな空　　空を見ます
　　あお　　ひろ　　　　　　　み

3. 水道
　　すいどう
　　ガスと電気と水道　　水道の水
　　でんき　　みず

4. 今夜
　　こんや
　　今夜の予定　　今夜の天気　　今夜の12時
　　よてい　　てんき　　じ

5. 十分な
　　じゅうぶん
　　十分なお金　　時間が十分あります
　　かね　　じかん

6. 運動する
　　うんどう
　　毎日、運動します　　運動することが好きです
　　まいにち　　す

勝	負	続	直	治	登	戻
343	405	355	401	280	452	493

II. 使い方

1. かぜがまだ**治**りません。薬を飲んでも、**治**りません。

2. **最近**、**夕方**、ジョギングをしています。これからも**続ける**つもりです。

3. わたしは⁺温かい**牛乳**は飲めますが、冷たい**牛乳**は飲めません。

4. 午後は南川さんの事務所へ行きます。4時までに**戻る**予定です。

III. 書き方

風	)	几	凡	凡	同	風	風	風
星	`	口	日	日	尸	戸	早	星
雪	一	一	一	雨	雨	雨	雪	雪
夕	)	ク	夕					
牛	)	`	二	牛				
乳	`	`	`	`	乎	乎	乳	
最	口	日	旦	早	昮	昮	最	最
勝	刀	月	月	月	胖	胖	胖	勝
負	)	ク	乍	角	角	負	負	負
続	`	幺	糸	紁	絘	続	絓	続
直	一	十	亡	市	古	直	直	直
治	`	`	`	汁	汕	治	治	治
登	フ	ヌ	ダ	癶	癶	啓	登	登
戻	一	一	ヨ	ヨ	戸	戸	戻	戻

Ⅰ．まとめ：いろいろな読み方

1. 月 ─── 月（moon）　月（month）　月日*1　　　　*1 time
　　　　　つき　　　　　つき　　　　つきひ
　　　　　1月　　2月　　正月　　生年月日*2　　　*2 the date of one's birth
　　　　　がつ　　がつ　　しょうがつ　せいねんがっぴ
　　　　　月曜日　　今月　　来月　　3か月
　　　　　げつようび　こんげつ　らいげつ　　げつ

2. 水 ─── 水　　飲み水*3　　　　　　　　　　　　*3 drinking water
　　　　　みず　　の　みず
　　　　　水曜日　　水道　　水分*4　　海水*5　　　*4 water, moisture
　　　　　すいようび　すいどう　すいぶん　かいすい
　　　　　　　　　　　　　　　　　　　　　　　　　*5 seawater

3. 分 ─── 5分　　15分
　　　　　ふん　　ふん
　　　　　10分　　30分
　　　　　ぷん　　ぷん
　　　　　十分な　　半分*6　　　　　　　　　　　*6 half
　　　　　じゅうぶん　はんぶん

4. 動 ─── 動く
　　　　　うご
　　　　　自動車　　自動＋販売機　　自動ドア*7　　動物　　運動する
　　　　　じどうしゃ　じどう　はんばいき　じどう　　　どうぶつ　うんどう
　　　　　　　　　　　　　　　　　　　　　　　　　　*7 automatic door

Ⅱ．読み物

─── 1．ダイエット ───

　わたしは毎日、自動車で会社へ行っています。そして、会社でも朝から晩までずっと座っています。そして休みの日は、うちで寝たり、食べたりしています。ずっと**運動**不足*1 です。それで、太って*2 しまいました。
　　　　　　　　　　　　　　　　　　　ぶそく　　　　　　　ふと

　この間、彼女とかけ*3 をしました。もしわたしが5キロやせられた*4 ら、
　　　　　かのじょ
わたしの**勝ち**です。彼女がわたしに欲しい物を買ってくれます。もしや
　　　　　　　　　かのじょ

せられなかったら、わたしの**負け**です。わたしが彼女を旅行に連れて行かなければなりません。

　それで、**最近、運動**を始めました。1週間に3回、スポーツクラブへ行っています。**運動してから**、ビールを飲みます。最高*5 です。いつも、たくさんビールを飲んでしまいます。

　そろそろ、飛行機を予約したほうがいいかもしれません。

*1 運動不足 lack of exercise　　*2 太る gain weight　　*3 かけ bet　　*4 やせる lose weight
*5 最高 best, highest

2. 冬の山

　わたしは山が好きです。山に**登る**ことが好きです。特に冬の山が好きです。冬の山の星空*1 と**風**の音が好きです。山のいちばん上まで**登って**見る雪山*2 の景色は最高*3 です。

　今年も冬の山へ来ました。今日は山小屋*4 に**泊まって**います。もう**夕方**です。西の**空**の夕焼け*5 がきれいです。東の**空**を見ると、**月と星**が出ています。**風**が冷たくなりました。**今夜**は初雪*6 が降るかもしれません。

月→

絵の中に、漢字で書けることばを書いてください。

*1 星空 starry sky　　*2 雪山 snowy mountain　　*3 最高 best, highest　　*4 山小屋 hut
*5 夕焼け evening glow of sunset　　*6 初雪 the first snow of the year

33 付 角 交 席 荷 以 触
256 404 397 487 409 234 369

Ⅰ. 読み方

A 1. 受付
うけつけ
受付の人　　受付で聞きます
ひと　　　　　　　き

2. 角
かど
1つ目の角　　角を左へ曲がります
ひと　め　　　　ひだり　ま

3. 交通
こうつう
交通が便利です　　交通が不便です
べん り　　　　　　ふ べん

4. 席
せき
窓側の席　　席を外します
まどがわ　　　　はず

5. 荷物
にもつ
重い荷物　　軽い荷物　　荷物を持ちます
おも　　　　かる　　　　　　も

6. ～以内
い ない
1か月以内　　1年以内　　2週間以内に返します
げつ　　　　ねん　　　　しゅうかん　　　かえ

7. 触る
さわ
割れたガラスに触らないでください
わ　　　　　　　　わ

8. 吸う
す
たばこを吸います　　たばこを吸いません

9. 伝える
つた
田中さんに伝えます　　遅れると伝えてください
た なか　　　　　　　　おく

10. 投げる
な
ボールを投げます

11. 曲がる
ま
右へ曲がります　　あそこを曲がります
みぎ

B 1. 入口
いりぐち
スーパーの入口　　入口のドア　　入口の横
よこ

2. 出口
で ぐち
駐車場の出口　　出口の前　　入口と出口
ちゅうしゃじょう　　　　まえ　　いりぐち

3. ～中
ちゅう
食事中　　使用中　　会議中
しょくじ　　しよう　　かい ぎ

4. ～目
め
2台目の車　　前から3人目の人
だい　くるま　まえ　　にん　ひと

5. 止まる
と
車が止まります　　時計が止まります
くるま　　　　　　とけい

Ⅱ. 使い方

1. このスーパーの駐車場は、2,000円以上買うと、2時間以内は無料です。
ちゅうしゃじょう　　えん い じょう か　　じかん　　　　　むりょう

2. 入口のドアが開きません。出口から入ってください。
あ　　　　　　　はい

3. 初めて雪に触りました。冷たかったです。
はじ　ゆき　さわ　　　　つめ

吸　伝　投　曲
308　258　315　243

---

4. 西口：どこかおいしいパン屋を知りませんか。
　　にしぐち
　　高田：ああ、いい店がありますよ。あの**角**を右へ**曲**がると、左にあり
　　たかだ　　　　　　　　みせ　　　　　　　　みぎ　　　　　ひだり
　　　　　ます。
5. 川田：もしもし、ＩＭＣの川田ですが、部長はいらっしゃいますか。
　　かわだ　　　　　　　　　　　　　　　　　ぶちょう
　　中山：部長は今、**席**を外しているんですが……。
　　なかやま　　　いま　　　はず
　　川田：じゃ、すみませんが、あしたの会議は来週の月曜日になったと
　　　　　　　　　　　　　　　　　かいぎ　らいしゅう　げつようび
　　　　　伝えていただけませんか。

Ⅲ. 書き方

付	ノ	イ	仁	付	付			
角	ノ	ク	ァ	勹	角	角	角	
交	丶	二	亠	六	岕	交		
席	丶	二	广	广	庐	庐	庐	庐	席	席
荷	一	十	艹	芐	芐	芐	芐	荷	荷
以	丶	レ	以	以	以			
触	ク	ァ	勹	角	角	舟	舮	触	触
吸	丶	ロ	ロ	叨	吸	吸		
伝	ノ	イ	仁	仁	伝	伝		
投	一	十	扌	扑	护	抄	投	
曲	丨	冂	冂	曲	曲	曲		

I. まとめ：いろいろな読み方

入 ── 入口　　日の入り*1　　+缶入り*2　　ビタミン入り*3
　　　（いりぐち）（ひ　い）　　（かん　い）　　（い）

　　　　入れます　　入れ物*4　　押し入れ
　　　（い）　　　　（い　もの）　（お　い）

　　　　入ります
　　　（はい）

　　　　入学　　入社*5　　入院*6
　　　（にゅうがく）（にゅうしゃ）（にゅういん）

*1 sunset
*2 in a can
*3 containing vita-
   mins
*4 container
*5 enter a compa-
   ny
*6 be hospitalized

II. 読み物

─── 運転練習中 ───
（れんしゅう）

　わたしは先月から、自動車学校へ行っています。今、運転の練習**中**で
す。まず、学校の中で運転を練習しました。そして、**交通**+規+則を勉強し
（き　そく）
ました。それから、試験を受けました。

　そして、きのう、初めて外の道を走りました。車は多いし、速いし、
（はじ）　　　　　　　　　　　　　　　　　　　　　　（はや）
とても怖かった*1 です。**角**を左に**曲がる**とき、急に*2、横に座っていた先
（こわ）　　　　　　　　　　　　　　　（きゅう）
生が「**止まれ！**」と言いました。左側を見ると、自転車が走っていまし
た。もし、先生がいなかったら、**交通事**+故*3 になったかもしれません。
（じ　こ）

*1 怖い frightening　　*2 急に suddenly　　*3 交通事故 traffic accident

漢字忍者

町なでよく見る漢字
まち　　　　　　　み　かんじ

どういう意味ですか？
いみ

～口	入口	出口	+非+常口

ひ　じょうぐち

～中	使用中	+営業中

しよう　　　　　えいぎょう

～+禁止	使用+禁止	立入+禁止	駐車+禁止

きんし　　　　　　　　　　　たちいり

34 塩 番 号 甘 辛 苦 細
293 477 417 225 441 407 351

I. 読み方

A 1. 塩（しお） 塩を取ります 塩を入れます
2. 番号（ばんごう） 部屋の番号 電話番号 ファクス番号
3. ～番（ばん） 1番 5番の答え 3番目の子ども
4. 甘（あま）い 甘いみかん 甘い物（もの）
5. 辛（から）い 辛いカレー 辛い物（もの）
6. 苦（にが）い 苦いコーヒー 苦いお茶（ちゃ） 苦い薬（くすり）
7. 細（ほそ）い 細い木（き） 細い枝（えだ） 細い道（みち）
8. 踊（おど）る 踊（おど）りを踊ります お祭（まつ）りで踊ります
9. 磨（みが）く 歯（は）を磨きます ガラスを磨きます 靴（くつ）を磨きます
10. 乗（の）り換（か）える 電車（でんしゃ）を乗り換えます 次（つぎ）の駅（えき）で普通（ふつう）に乗り換えます
11. 質問（しつもん）する 先生（せんせい）に質問します 質問があります
B 1. 手伝（てつだ）う 母（はは）を手伝います 仕事（しごと）を手伝います
2. 見（み）つける いいレストランを見つけました 仕事（しごと）を見つけました
3. 見（み）つかる かぎが見つかりました 仕事（しごと）が見つかりません
4. 先（さき）に 先に出（で）かけます 先に行（い）きます お先にどうぞ

II. 使い方

1. ケーキを作（つく）るとき、砂（さ）糖（とう）と塩をまちがえました。食（た）べられませんでした。

2. コンサートに行（い）きます。席（せき）の番号はA-31番です。いちばん前（まえ）の席です。

3. 主人（しゅじん）は甘い物（もの）が好（す）きです。いつも、食事（しょくじ）の後（あと）で甘いお菓子（かし）を食（た）べます。

4. いい薬（くすり）は苦いですが、病気（びょうき）が早（はや）く治（なお）ります。

踊　　磨　　換　　質
370　　490　　322　　450

5. 息子は5歳ですから、まだ一人で歯が**磨け**ません。歯を**磨く**ときは、
　わたしが**手伝い**ます。

6. 近くの駅から電車に乗って、それから地下鉄に**乗り換え**て、空港へ行
　きます。だいたい1時間です。

7. **質問**がある人は手を上げてください。

8. おじいちゃんは**踊る**ことが好きです。音楽が聞こえると、体が動きます。

9. まだ仕事が終わりませんから、**先に**帰ってください。

10. スペイン語を習いたいんですが、なかなかいい学校が**見つかり**ません。

Ⅲ. 書き方

塩	圡	圵	圹	圹	垆	垆	塩	塩
番	一	厂	平	平	平	釆	番	番
号	丶	口	口	吕	号			
甘	一	十	廿	廿	甘			
辛	丶	一	艹	立	立	辛		
苦	一	十	艹	芢	芏	苦	苦	苦
細	乚	幺	糸	糸	糸	紅	細	細
踊	口	甲	甲	足	跶	跊	踊	踊
磨	亠	广	广	庁	庁	麻	麻	磨
換	扌	扩	扩	护	护	护	换	換
質	丿	斤	斤	斤	所	所	質	質

I．タスク

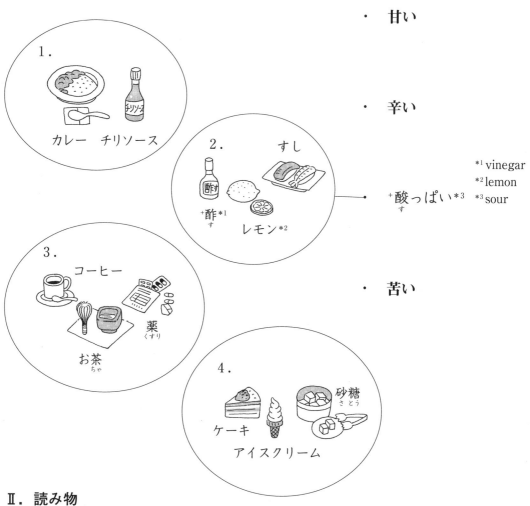

- 甘い

1.
カレー　チリソース

2.　　　　すし
⁺酢*1
す
レモン*2

*1 vinegar
*2 lemon
*3 sour

- 辛い

- ⁺酸っぱい*3
  す

3.
コーヒー
薬
くすり
お茶
ちゃ

- 苦い

4.
砂糖
さとう
ケーキ
アイスクリーム

II．読み物

デード*

明：おいしいタイ料理のレストランを見つけたんだけど、行かない？
あきら

雪：すみません。わたし、**辛い**物は、だめなんです。
ゆき

明：じゃ、フランス料理はどう？　ケーキもおいしいよ。

雪：うーん、**甘い**物もちょっと……。

　　あー、春は眠いですねえ。

解答　I．1. 辛い　3. 苦い　4. 甘い
かいとう

明：じゃ、**苦い**コーヒーでも飲みに行かない？

雪：あのう、今日は彼_{かれ}と**踊り**に行くんです。

明：あ……。

*デート date

漢字忍者

まとめ：漢字の形_{かんじ　かたち}

ロ	員	足	兄	号	品
	30	165	203	417	418

1．席_{せき}の**番号**_{なんばん}は何番ですか。

2．このスーパーは少し高いですが、**品物**がいいです。_{すこ　たか}

立	音	意	辛	産
	185	217	441	442

1．この店の料理は**辛い**です。子どもにはちょっと無理です。_{みせ　りょうり　　　　　　　こ　　　　　　　　　　　　　むり}

2．何か**意見**がある人は、手を上げて、言ってください。_{なに　　　　　　　ひと　て　あ　　　い}

广	店	広	度	席	座	庭	磨
	110	135	182	487	488	489	490

1．毎朝、出かける前に、靴を**磨き**ます。_{まいあさ　で　　　　　まえ　　くつ}

2．映画を見に行きます。早く行って、いい**席**を見つけようと思っています。_{えいが　み　い　　　　　　はや　い　　　　　　　　　　み　　　　　　　おも}

3．教室では、みんな**席**に**座っ**て、きのう習った漢字を復習しています。_{きょうしつ　　　　　　　　　　　　　　　　　　なら　　　かんじ　ふくしゅう}

35 島 村 葉 緑 活 向 珍
517　327　412　356　281　515　341

Ⅰ. 読み方

A 1. 島 小さい島　南の島　島の人　島に住んでいます

2. 村 町と村　村の祭り　村の学校

3. 葉 花と葉　赤い葉　木の葉　葉の色が変わります

4. 緑 緑のセーター　緑が多い　緑がありません

5. 生活 外国の生活　学生生活　楽な生活

6. 向こう 向こうの島　向こうの方　川の向こう側

7. 珍しい 珍しい動物　珍しい料理　珍しい切手

8. 変える 仕事を変えます　髪の形を変えます

9. 変わる 色が変わります　電話番号が変わりました

10. 捨てる ごみを捨てます　ごみ箱に捨てます

11. 拾う ごみを拾います　道で10円拾いました

B 1. 近所 近所の店　近所の人　近所にパン屋があります

2. 屋上 ビルの屋上　屋上から見える景色　屋上に上がります

3. 港 港と空港　港に入る船　港で船に乗ります

4. 機会 友達に会う機会　機会がありません

5. 楽しみ 正月の楽しみ　楽しみです

6. 熱い 熱いお湯　エンジンが熱くなります

7. 正しい 正しい答え　正しい方法

Ⅱ. 使い方

1. お正月は家族と南の島へ行く予定です。今からとても楽しみです。

2. 娘はこの春、小学校に入学します。村の小学校はとても小さいです。
　子どもは全部で5人です。中学校は村にはありません。

3．秋になると、緑だった木の葉の色が赤や⁺黄色に変わります。
　　あき　　　　みどり　　　き　　いろ　あか　きいろ　　か

4．この町は緑が少ないです。どこか緑が多い所に住みたいです。
　　まち　みどり　すく　　　　　　　　　みどり　おお　ところ　す

5．このビルの屋上から港が見えます。
　　　　　　　おくじょう　みなと　み

6．日本の生活に慣れました。熱いおふろが好きになりました。
　　にほん　せいかつ　な　　　　　　あつ　　　　　　す

7．学校で毎日、漢字の正しい書き方を習います。
　　がっこう　まいにち　かんじ　ただ　　か　かた　なら

8．まちがえて、大切な⁺資料を捨ててしまいました。
　　　　　　　　　　たいせつ　しりょう　す

9．先週、港の近くで珍しい魚が見つかりました。初めて見る魚です。
　　せんしゅう　みなと　ちか　　めずら　　さかな　み　　　　　　　はじ　　み

Ⅲ．書き方

島	′	′	′	′	自	鳥	鳥	島	島
村	一	十	才	木	木′	村	村		
葉	一	艹	芒	芒	苎	苩	莊	葟	葉
緑	′	幺	糸	糽	糽	絽	絽	綠	緑
活	′	′	′	汁	汁	汗	汗	活	活
向	′	′	冂	向	向	向			
珍	一	Ｔ	王	王	珒	珒	珍	珍	
変	′	亠	ナ	亦	亦	亦	変	変	変
捨	扌	扌	扩	扩	挵	拴	捨	捨	
拾	一	扌	扌	扩	扚	拾	拾	拾	拾

I. タスク：漢字を作ってください。
かんじ　つく

合　舎　参
録　寸　舌

1. 日本の生 [シ] かつ
にほん せい

2. [王] しい動物
めずら　　どうぶつ

3. [糸] が多い町
みどり　　おお　まち

4. [木] の学校
むら　　がっこう

5. ごみを [才] てる
す

6. ごみを [才] う
ひろ

7. 木の [笹] は
き

8. [泖] しみが多い
たの　　おお

9. 南の [鳥] しま
みなみ

10. 色が [亦] わる
いろ　　か

11. [執] いお茶
あつ　　ちゃ

解答　I. 1.活　2.珍　3.緑　4.村　5.捨　6.拾　7.葉　8.楽　9.島　10.変　11.熱
かいとう

Ⅱ．まとめ：いろいろな読み方

1. 近 ── 近く　　近くの　　近い　　近道*¹
　　　　　　　　ちか　　　　ちか　　　　ちか　　　　ちかみち
　　　　　　近所　　付近*²
　　　　　　きんじょ　　ふ きん

2. 屋 ── 部屋　　本屋　　屋 ⁺根*³
　　　　　　へ や　　　ほんや　　　や　　ね
　　　　　　屋上　　屋外*⁴　　屋内*⁵
　　　　　　おくじょう　　おくがい　　　おくない

3. 港 ── 港　　港町*⁶
　　　　　みなと　　みなとまち
　　　　　　空港　　神戸港*⁷　　貿易港*⁸
　　　　　　くうこう　　こう べ こう　　ぼうえきこう

4. 楽 ── 楽しみ　　楽しい　　楽しむ*⁹
　　　　　たの　　　　　たの　　　　　たの
　　　　　　音楽　　楽 ⁺器*¹⁰
　　　　　　おんがく　　がっ　き
　　　　　　楽な
　　　　　　らく

5. 熱 ── 熱い
　　　　　あつ
　　　　　　熱　　熱心な　　熱湯*¹¹
　　　　　ねつ　　ねっしん　　ねっとう

6. 正 ── 正しい　　正す*¹²
　　　　　ただ　　　　ただ
　　　　　　正月　　正直な*¹³
　　　　　しょうがつ　　しょうじき

*¹ shortcut
*² neighborhood
*³ roof
*⁴ outdoors
*⁵ indoors
*⁶ port town
*⁷ the Port of Kobe
*⁸ trading port
*⁹ enjoy
*¹⁰ musical instrument
*¹¹ boiling water
*¹² correct
*¹³ honest

Ⅲ．読み物

── 緑の島 ──

　この島は、緑が多くて、とてもきれいです。⁺森*には珍しい木や花があ
　　　　　　　　　　　　　　　　　　　　　　もり
ります。珍しい動物も住んでいます。

　去年、この島に橋ができました。村の生活が変わりました。人もごみ
　　　　　　　　　　　　はし
も多くなりました。

　今日、近所の人と山の中や港を歩いて、ごみを拾いました。

　今度、島のごみの問題について考える機会を作りたいと思います。そ
して、ごみを捨てた人にも、ごみの問題を考えてもらいたいと思います。

*森 forest

Ⅰ. | 木 | 机 村 横 機 |
326 327 331 333

1. ごみ箱はあの＿＿の＿＿にあります。
ばこ　　　　　つくえ　　よこ

2. ＿＿会があったら、もう一度、日本へ来たいです。
き かい　　　　　　　　　いちど　にほん　き

3. 冬、この＿＿は雪が多いです。
ふゆ　　　　むら　ゆき おお

Ⅱ. | 糸 | 約 細 経 絵 続 緑 |
350 351 352 354 355 356

1. 飛行機はもう予＿＿しましたか。
ひこうき　　　よ やく

2. このひもは＿＿いです。もう少し太いのはありませんか。
ほそ　　　　　すこ ふと

3. ワット先生は熱心だし、＿＿験もあります。
せんせい ねっしん　　　けい けん

4. 旅行に行くとき、いつも＿＿をかく道具を持って行きます。
りょこう い　　　　　　　　え　　　　どうぐ も い

5. 毎日、暑い日が＿＿いています。
まいにち あつ ひ　　つづ

6. 静かな所ですね。木の＿＿がとてもきれいですね。
しず ところ　　　き みどり

Ⅲ. | 艹 | 苦 荷 葉 夢 落 |
407 409 412 413 414

1. 薬を飲みます。＿＿い薬です。
くすり の　　　　　　にが

2. ＿＿物が多いですから、タクシーを呼びましょう。
に もつ おお　　　　　　　　　　　　　よ

3. この木の＿＿は秋になると、赤くなります。
き は　　あき　　　　あか

4. わたしの＿＿は自分の店を持つことです。
ゆめ　　じぶん みせ も

5. ポケットに入れたお金を＿＿としてしまいました。
い　　　　かね　　お

解答 Ⅰ.1.机、横　2.機　3.村　Ⅱ.1.約　2.細　3.経　4.絵
かいとう
5.続　6.緑　Ⅲ.1.苦　2.荷　3.葉　4.夢　5.落

Ⅳ. 木 | 楽 186 | 葉 412 | 柔 466 | 集 467

1. 世界の切手を＿＿めています。
   せかい きって あつ

2. 1週間に1回、＿＿道の教室へ行きます。＿＿しみです。
   しゅうかん かい じゅうどう きょうしつ い たの

3. 5月の山は木の＿＿の緑がきれいです。
   がつ やま き は みどり

Ⅴ. シ | 汚 273 | 泳 277 | 治 280 | 活 281 | 消 285 | 港 289 | 湯 290

1. この川の水は＿＿れていますから、＿＿げません。
   かわ みず よご およ

2. 熱いお＿＿ですから、気をつけてください。
   あつ ゆ き

3. この飛行機は何時に空＿＿に着きますか。
   ひこうき なんじ くうこう つ

4. 船の生＿＿は毎日、同じです。＿＿に着いたとき、うれしいです。
   ふね せいかつ まいにち おな みなと つ

5. けがはもう＿＿りましたか。
   なお

6. 事務所の電気が＿＿えていますから、みんなもう帰ったと思います。
   じむしょ でんき き かえ おも

Ⅵ. 漢字を作ってください。
   かんじ つく

1. 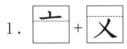 宿題の作＿＿を書かなければなりません。
   しゅくだい さくぶん か

2.  日本は＿＿通が便利です。
   にほん こうつう べんり

3. 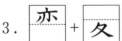 秋になると、木の葉の色が＿＿わります。
   あき き は いろ か

4.  来年、大学を＿＿業します。
   らいねん だいがく そつぎょう

5. 亡 + 心 電車にかばんを＿＿れてしまいました。
   でんしゃ わす

解答 Ⅳ. 1.集 2.柔、楽 3.葉 Ⅴ. 1.汚、泳 2.湯 3.港 4.活、港
かいとう
5.治 6.消 Ⅵ. 1.文 2.交 3.変 4.卒 5.忘

36 工 記 耳 歯 野 菜 低

224　360　244　431　371　411　260

I. 読み方

Ⓐ 1. 工場　　　大きい工場　　町の工場　　工場ができます
　　　こうじょう　　おお　　　　　まち

　2. 日記　　　夏休みの日記　　日記を書きます
　　　にっき　　なつやす　　　　　か

　3. 耳　　　　目と耳　　大きい耳　　犬の耳
　　　みみ　　　め　　　おお　　　　いぬ

　4. 歯　　　　歯を磨きます　　歯が痛いです
　　　は　　　　　みが　　　　　いた

　5. 歯医者　　近くの歯医者　　歯医者へ行きます
　　　は　い　しゃ　ちか

　6. 野菜　　　新しい野菜　　野菜の料理　　野菜ジュース
　　　や　さい　あたら　　　　　りょうり

　7. 低い　　　低いビル　　低いテーブル　　⁺背が低い
　　　ひく　　　　　　　　　　　　　　　　　せ

　8. 太い　　　太い木　　太い枝　　太いひも
　　　ふと　　　　き　　　えだ

　9. 弱い　　　弱いチーム　　体が弱いです　　力が弱いです
　　　よわ　　　　　　　　からだ　　　　　ちから

　10. 若い　　　若い人　　若い先生
　　　わか　　　　ひと　　せんせい

　11. 特別な　　特別な日　　特別な人　　特別な料理
　　　とくべつ　　　ひ　　　　ひと　　　　りょうり

　12. 太る　　　少し太りました　　太っています
　　　ふと　　　すこ

　13. 打つ　　　ワープロを打ちます
　　　う

　14. 過ぎる　　5時を過ぎます　　約束の時間を10分過ぎました
　　　す　　　　じ　　　　　　やくそく　じかん　　ぷん

　15. 違う　　　違う国の人　　サイズが違います　　習慣が違います
　　　ちが　　　　くに　ひと　　　　　　　　　しゅうかん

　16. 必ず　　　必ず行きます　　必ず連絡してください
　　　かなら　　　　い　　　　　　れんらく

Ⓑ 1. 水泳　　　水泳が好きです　　水泳を習います
　　　すいえい　　　　す　　　　　　なら

　2. 気持ち　　子どもの気持ちがわかりません　　気持ちを伝えます
　　　き　も　　こ　　　　　　　　　　　　　　　　　つた

　3. 慣れる　　慣れない仕事　　新しい生活に慣れました
　　　な　　　　　しごと　　あたら　せいかつ

太	弱	若	別	打	過	違	必
226	250	408	382	314	504	507	232

Ⅱ. 使い方

1. 最近、**太**りました。**水泳**をして、**野菜**だけ食べています。**必**ずやせます。

2. 今日は**特別**な日ですから、**特別**な料理を作って、待っていました。
   もう、12時を**過**ぎました。でも、妻はまだ帰りません。

3. きのう、**近所**の**歯医者**へ行きました。でも、治りません。あしたは、
   違う**歯医者**へ行きます。

Ⅲ. 書き方

工	一	丁	工						
記	、	二	三	言	言	言	記	記	記
耳	一	丁	戸	戸	巨	耳			
歯	丶	上	止	歩	歩	半	米	歯	歯
野	丶	口	日	甲	里	野	野	野	野
菜	一	艹	艹	苎	苎	苎	苙	莁	菜
低	ノ	イ	仁	化	任	低	低		
太	一	ナ	大	太					
弱	⁊	弓	弓	弓	弱	弱	弱	弱	
若	一	十	艹	艹	芋	芋	若	若	
別	丶	口	口	叧	另	別	別		
打	一	扌	扌	扩	打				
過	口	冂	冎	咼	咼	咼	咼	過	過
違	'	力	丑	吾	查	查	韋	違	違
必	丶	ソ	必	必	必				

Ｉ．タスク

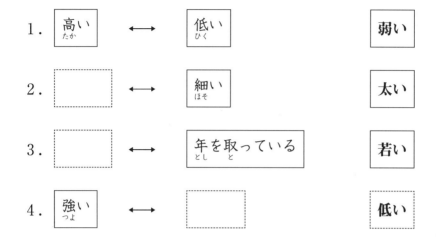

1. 高い　←→　低い　　　　弱い
　　たか　　　　ひく

2. ☐　←→　細い　　　　太い
　　　　　　　ほそ

3. ☐　←→　年を取っている　　若い
　　　　　　　とし　と

4. 強い　←→　☐　　　　低い
　　つよ

Ⅱ．読み物

　　　　　　　　　　　　　　　　　　━ 若子さんの日記 ━
　　　　　　　　　　　　　　　　　　　　わかこ

　　８月１日（水）　雨

　ああ、⁺疲れた……。東京へ来て、１週間**過**ぎた。新しい**工場**で働いて、
　　　　つか　　　　　　　　　　　　　　　　　　　　　　　　　はたら
今日で３日目。生活も、仕事も、全然**違**うから、大変だ。早く**慣**れなけ
　　　　　　　　　　　　　　　ぜんぜん　　　　たいへん
ればならない。

　　８月４日（土）　⁺晴れ
　　　　　　　　　　　は
　今日は土曜日。休みだった。昼までゆっくり寝て、それから、海へ行っ
た。天気がよかったから、**水泳**もした。それから、おいしい物を食べて、
ビールを飲んだ……ああ、楽しかった。

解答　Ｉ．2．太い　3．若い　4．弱い
かいとう

漢字忍者

Ⅰ．タスク：体のことばを書いてください。
　　　　　　 からだ　　　　　　　 か

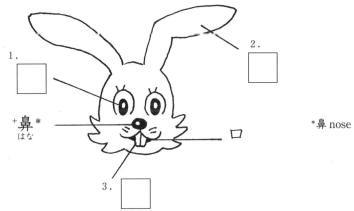

1. ☐

2. ☐

3. ☐

+鼻*
　はな

口

*鼻 nose

Ⅱ．まとめ：「気」を使ったことば
　　　　　　　　　　　つか

気

1．元気な人
2．病気の人
3．気分
4．気分がいい
5．気分が悪い
6．気持ち
7．気持ちがいい
8．気持ちが悪い
9．気が長い　be patient
10．気が短い　be short‐tempered
11．気が強い　be strong-willed
12．気が弱い　be weak-willed
13．気が大きい　feel well-off
14．気が小さい　be timid
15．気が楽な　feel easy
　　　 らく

16．気が合う　be congenial
17．気が変わる　change one's mind
18．気をつける
19．気がつく
20．気を使う　take care,
　　　　　　　　　be considerate
21．気にする　mind, worry
22．気になる　feel uneasy
23．気を落とす　be discouraged,
　　　　　　　　　　be disappointed

解答　Ⅰ．1．目　2．耳　3．歯
かいとう

37 米 寺 船 械 呼 頼 注
233　419　358　334　310　393　282

I. 読み方

A 1. 米
こめ
　　白い米　　お米とご飯　　米を洗います
　　　しろ　　　　はん　　　　あら

2. 寺
てら
　　古い寺　　お寺と神社　　寺を建てます
　　ふる　　　　じんじゃ　　　　た

3. 船
ふね
　　外国の船　　船の旅行　　船に乗ります
　　がいこく　　りょこう　　　の

4. 機械
きかい
　　新しい機械　　機械に触らないでください
　　あたら　　　　　さわ

5. 呼ぶ
よ
　　子どもを呼びます　　母に呼ばれました
　　こ　　　　　　　　はは

6. 頼む
たの
　　仕事を頼みます　　娘に買い物を頼みます
　　しごと　　　　むすめ　か　もの

7. 注意する
ちゅうい
　　車に注意します　　先生に注意されました
　　くるま　　　　　せんせい

8. 招待する
しょうたい
　　パーティーに招待します　　友達をうちに招待します
　　　　　　　　　　　　ともだち

9. 輸出する
ゆしゅつ
　　米を輸出します　　車を世界中の国へ輸出します
　　こめ　　　　くるま　せかいじゅう　くに

B 1. 消す
け
　　電気を消します　　テレビを消します
　　でんき

2. 起こす
お
　　子どもを起こします　　7時に妹を起こします
　　こ　　　　　　　　じ　いもうと

3. 行う
おこな
　　会議を行います　　3月に卒業式が行われます
　　かいぎ　　　　がつ　そつぎょうしき

4. 利用する
りよう
　　地下鉄を利用します　　パソコンを利用します
　　ちかてつ

II. 使い方

1. わたしの小学校では毎朝、先生が子どもの名前を呼びます。
　　しょうがっこう　まいあさ　せんせい　こ　　なまえ

2. 兄は大学で機械の勉強をしました。大学を卒業してから、飛行機の
　あに　だいがく　きかい　べんきょう　　　　　そつぎょう　　　ひこうき
　会社で働いています。
　かいしゃ　はたら

3. オーストラリアの肉は安くて、おいしいです。ですから、いろいろな
　　　　　　　　にく　やす
　国へたくさん肉を輸出しています。
　くに

4. 今日は大切な試験の日です。試験の時間に遅れないように、父に起こ
　きょう　たいせつ　しけん　ひ　　　しけん　じかん　おく　　　　ちち
　してもらいました。

5．子どもが生まれて、会社をやめました。そして、家でインターネット
　を**利用**して、新しい仕事を始めました。

6．部屋を出る前に、窓を閉めて、電気を**消して**ください。

7．わたしの国はタイです。タイは**米**をたくさん**輸出**しています。

8．週末はいつも、友達をわたしの船に**招待して**、パーティーをします。

9．毎年、お正月には、家族といっしょに京都の**お寺**へ行きます。1,000
　年前に建てられた有名な**お寺**です。

10．今日は忙しいですから、妻に買い物を**頼み**ました。

Ⅲ．書き方

米	丶	゛	二	半	半	米		
寺	一	十	土	寺	寺	寺		
船	′	⺆	力	甪	舟	舟	船	船	船
械	十	才	木	杆	栉	柿	械	械	械
呼	丶	口	口	呼	呼	呼	呼	
頼	一	⺕	市	束	束	軵	頼	頼	頼
注	丶	冫	氵	汀	汀	汁	注	注	
招	一	十	扌	扚	护	招	招	招	
輪	⼍	亘	車	軡	軡	軡	輪	輪	輪

Ⅰ. タスク：漢字を作ってください。

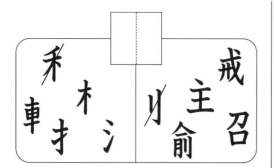

1.  用する
   り　　よう

2. 機 [　　] 意する
   き　　かい

3. [　　] 意する
   ちゅう　い

4. [　　] 待する
   しょう　たい

5. [　　] 出する
   ゆ　　しゅつ

6. [　　]
   ふね

7. [　　] ぶ
   よ

8. [　　] む
   たの

9. [　　] す
   け

10. [　　] う
    おこな

解答　Ⅰ. 2. 械　3. 注　4. 招　5. 輸　6. 船　7. 呼　8. 頼　9. 消　10. 行
かいとう

Ⅱ. チャレンジ：ことばの意味を考えてください。

1. 輪：1）輸出　　2）輸入　　3）輸送　　4）空輸

2. 注：1）注意　　2）注目　　3）注文

Ⅲ. タスク：ことばを選んでください。

1. 電気を（　消えます　・　**消します**　）。

2. 朝、母を（　起きます　・　**起こします**　）。

3. 午後3時から、会議を（　**行います**　・　行きます　）。

4. あしたのパーティーに（　注意されました　・　**招待されました**　）。

5. アジアの国では、（　**米**　・　船　・　寺　）をよく食べます。

Ⅳ. 読み物

--- +釣り ---

　父は+釣りが好きです。休みを**利用**して、よく+釣りに行きます。インターネットでアメリカに注文して、輸入した新しい+釣りの道具がきのう届きました。

　今日は、わたしも父といっしょに+釣りに行きます。+釣りの日は朝が早いです。父に朝4時に**起こされ**ました。

　今日は**船**に乗って、+釣りをします。港で船を**頼み**ました。船の人が、エンジンやいろいろな**機械**の調子を見ています。

　船の人がわたしたちを**呼ん**でいます。海に**落ち**ない*1 ように**注意して**、船に乗ります。さあ、出発*2 です。今日は魚がたくさん+**釣れる***3 でしょうか。

*1 落ちる fall　*2 出発 departure　*3 釣る fish

解答　Ⅱ. 1. 1）export　2）import　3）transport　4）send by air
　　　2. 1）pay attention, be careful　2）pay attention, watch　3）order
　　Ⅲ. 1. 消します　2. 起こします　3. 行います　4. 招待されました　5. 米

38 　枝　岸　卵　橋　冊　製　無

329　422　251　332　242　482　455

Ⅰ. 読み方

A 1. 枝（えだ）　木の枝（き）　細い枝（ほそ）　太い枝（ふと）

2. 海岸（かいがん）　朝の海岸（あさ）　夜の海岸（よる）　きれいな海岸

3. 卵（たまご）　大きい卵（おお）　小さい卵（ちい）　卵を買います（か）

4. 橋（はし）　長い橋（なが）　新しい橋（あたら）　橋ができました

5. ～冊（さつ）　ノートを1冊買います（か）　本を2冊借ります（ほん）（か）

6. ～製（せい）　日本製（にほん）　中国製（ちゅうごく）　イギリス製　イギリス製のスーツ

7. 無理な（むり）　無理なダイエット　無理をします

8. 難しい（むずか）　難しい本（ほん）　難しい問題（もんだい）　難しい質問（しつもん）

9. 易しい（やさ）　易しい本（ほん）　易しい問題（もんだい）　易しい日本語（にほんご）

10. 散歩する（さんぽ）　海岸を散歩します（かいがん）　公園へ散歩に行きます（こうえん）（い）

11. 育てる（そだ）　花を育てます（はな）　野菜を育てます（やさい）　子どもを育てます（こ）

12. 亡くなる（な）　父が亡くなりました（ちち）　母が亡くなりました（はは）

B 1. 赤ちゃん（あか）　元気な赤ちゃん（げんき）　大きい赤ちゃん（おお）　6か月の赤ちゃん（げつ）

2. 研究室（けんきゅうしつ）　大学の研究室（だいがく）　ワット先生の研究室（せんせい）

3. 小さな（ちい）　小さな手（て）　小さな駅（えき）　小さなレストラン

4. 大きな（おお）　大きな手（て）　大きな木（き）　大きな夢（ゆめ）

5. 大変な（たいへん）　大変な仕事（しごと）　大変な1日（にち）

6. 入院する（にゅういん）　1週間入院します（しゅうかん）　神戸病院に入院します（こうべびょういん）

7. 運ぶ（はこ）　荷物を運びます（にもつ）　料理を運びます（りょうり）

Ⅱ. 使い方

1. 鳥の声が聞こえます。あ、あの木の枝にいますよ。きれいな色の鳥ですね。（とり　こえ　き　き　いろ）

2．あ、いけない。**卵**を買うのを忘れた。

3．研 究は**大変**です。毎晩、10時ごろまで**研究室**にいます。母に「**無理**をしないように」と言われます。

4．**易しい**試験はおもしろくないです。**難しい**試験は好きじゃありません。

5．きのう、部 長が**亡く**なりました。部長は先 週から**入院**していました。

6．今、図書館から本を２**冊**借りています。あと３**冊**、借りられます。

7．イタリア**製**の車、ドイツ**製**の車、アメリカ**製**の車。どれを買いますか。

Ⅲ．書き方

枝	一	十	才	木	杧	杖	枝	枝	
岸	`	屵	山	屵	戸	岸	岸	岸	
卵	`	𠂊	丘	自	卯	卵	卵		
橋	木	杧	杍	柿	枠	桥	梼	橋	橋
冊	丨	冂	𗈊	冊	冊				
製	`	𠂆	乍	牜	制	制	製	製	製
無	ノ	𠂉	二	午	缶	無	無	無	
難	艹	茻	苦	苣	莫	鄚	難	難	難
易	丶	口	日	日	尸	号	易	易	
散	一	廿	丗	芇	昔	背	散	散	散
育	`	亠	去	云	宀	育	育	育	
亡	`	亠	亡						

38 漢字博士

I. タスク：漢字の読み方が同じことばを集めました。

1. 大： 大きな と 大変な はどこに入りますか。

① 大きい 　おお 大雨 *1 おおあめ	② 大切な 　たいせつ 大使館 たいしかん	③ 大学 　だいがく 大学院 だいがくいん 大発明 *2 だいはつめい

*1 大雨 heavy rain
*2 大発明 great invention

2. 小： 小さな はどこに入りますか。

① 小さい 　ちい	② 小学校 　しょうがっこう 小説 しょうせつ 小説家 しょうせつか	③ 小鳥 *1 　ことり	④ 小川 *2 　おがわ

*1 小鳥　small bird
*2 小川　small stream

II. タスク：＿＿＿＿の読み方を書いてください。

1. 入： 　入院する　　入学する　　入る　　　入口　　　入れる
　　　　　　　　　　　にゅうがく　　はい　　いりぐち　　い

2. 運： 　運ぶ　　　　運転する　　運動する
　　　　　　　　　　　うんてん　　うんどう

3. 海： 　海岸　　　　海外　　　　海
　　　　　　　　　　　かいがい　　うみ

4. 歩： 　散歩する　　歩く　　　　歩いて
　　　　　　　　　　　ある　　　　ある

III. タスク

1. 歩＋道　　→　歩道　　　・　　・a. 人が歩く道
　　　　　　　　　　ほどう　　　　　　　ひと　ある　みち
2. 教＋育　　→　教育　　　・　　・b. 工場で作られた品物
　　　　　　　　　　きょういく　　　　　こうじょう　つく　　しなもの
3. 製＋品　　→　製品　　　・　　・c. だれも住んでいない島
　　　　　　　　　　せいひん　　　　　　　　　す　　　　　しま
4. 無＋人＋島　→　無人島　・　　・d. 人に教えること、人を育てること
　　　　　　　　　　むじんとう　　　　　ひと　おし　　　　ひと　そだ

解答　I. 1. 大きな① 大変な② 2. 小さな① II. 1）にゅういん 2）はこ 3）かいがん
かいとう　4）さんぽ III. 1. a 3. b 4. c

72 — ユニット 38

Ⅲ．読み物

1．わたしの島

　わたしが生まれたのは、この島です。子どものとき、この海岸の近くに住んでいました。

されいな海岸でしょう？

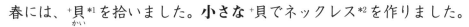

　春には、+貝*1を拾いました。**小さな**+貝でネックレス*2を作りました。

　夏には、魚といっしょに泳ぎました。**小さな魚**も**大きな魚**も友達でした。

　秋、**海岸**は静かです。ここで一人で海を見て、海の向こうの**大きな町**に住みたいと思いました。

　この島を出たのは、冬の日でした。風が強い日でした。船から遠くなる島を見ていました。

　今、あなたとこの島へ帰って来ました*3。そして、この**海岸**を**散歩**しています。

*1 貝 shell　*2 ネックレス necklace　*3 帰って来る come back

2．「橋」がつく駅はいくつ？

　大+阪に大きい川があります。昔、この川を通って*、船で人や荷物を**運び**ました。

　今は、地下鉄や車で人や荷物を**運ん**でいます。でも、地下鉄の駅の中に、「**橋**」の字がつく駅がたくさんあります。

　右は大阪の地下鉄の**図**です。「**橋**」の字がつく駅を見つけてください。

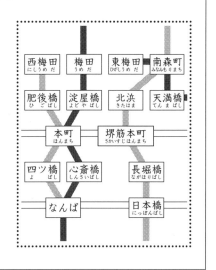

* 通る pass

39

震 454　狭 304　代 257　恥 366　困 511　死 340　配 372

I. 読み方

A 1. 地震 （じしん）　大きい地震　地震がありました　地震が多いです

2. 狭い （せま）　狭い店（みせ）　狭い道（みち）　狭い部屋（へや）

3. 〜代 （だい）　電話代（でんわ）　電気代（でんき）　水道代（すいどう）　ガス代

4. 恥ずかしい （は）　恥ずかしい話（はなし）　恥ずかしい経験（けいけん）

5. 困る （こま）　困っています　困ったことがあります

6. 死ぬ （し）　うちの犬が死にました（いぬ）　火事で2人死にました（かじ）（ふたり）

7. 心配する （しんぱい）　子どものことを心配します（こ）　家族のことを心配します（かぞく）

8. 倒れる （たお）　木が倒れました（き）　ビルが倒れました

9. 並ぶ （なら）　人が並んでいます（ひと）　電気屋が並んでいます（でんきや）

10. 並べる （なら）　いすを並べます　料理を並べます（りょうり）　品物を並べます（しなもの）

11. 大勢 （おおぜい）　友達が大勢います（ともだち）　人が大勢死にました（ひと）（し）

12. 途中で （とちゅう）　来る途中で（く）　帰る途中で（かえ）　旅行の途中で（りょこう）

B 1. 安心する （あんしん）　手紙を読んで、安心しました（てがみ）（よ）

2. 火事 （かじ）　大きな火事（おお）　火事がありました　火事が多いです（おお）

3. 汚い （きたな）　汚い手（て）　汚い服（ふく）　汚い水（みず）　汚い川（かわ）

4. 答える （こた）　質問に答えます（しつもん）　次の問題に答えてください（つぎ）（もんだい）

5. 台風 （たいふう）　大きい台風（おお）　強い台風（つよ）　台風が来ます（き）

6. 通る （とお）　明るい道を通ります（あか）（みち）　台風が通ります（たいふう）

II. 使い方

1. ここに古い建物が並んでいました。全部、地震で倒れました。
（ふる）（たてもの）　　　　　　　（ぜんぶ）（じしん）

2. 今のアパートはちょっと狭いです。でも、部屋代が安いです。
（いま）　　　　　　　　　　　　　（へや）（だい）（やす）

3. 教室で寝てしまいました。先生に起こされました。恥ずかしかったです。
（きょうしつ）（ね）　　　　（せんせい）（お）

4．困ったなあ。道がわからない。だれか通ったら、聞こう。

5．遅いですね。まだ来ません。途中で何かあったんでしょうか。心配です。

6．10年前の今日、この町で地震がありました。人が大勢、死にました。

7．品物を並べます。店を開けます。「安いですよ。いらっしゃい。」

8．ホテルで火事がありました。泊まっていた人が4人死にました。

9．子どもが「学校へ行かない」と言う。「どうして」と聞いても、答えない。

10．台風は南の海で生まれて、海の上を通って、日本の方へ来ます。そして、時々、日本の上を通ります。

Ⅲ. 書き方

震	一	一	雨	雨	雪	雫	霊	震	震
狭	ノ	ハ	犭	犭	狆	狆	狛	狭	狭
代	ノ	イ	仁	代	代				
恥	一	丆	F	E	耳	耳	恥	恥	恥
困	丨	冂	冃	用	困	困	困		
死	一	丆	歹	歹	死	死			
配	一	丆	币	酉	西	酉	酉	配	配
倒	イ	亻	仁	仹	佈	倬	侄	倒	倒
並	、	丷	丷	丷	並	並	並	並	
勢	十	土	去	坴	刬	執	執	勢	勢
途	ノ	八	合	今	余	余	涂	途	途

39 漢字博士

I . タスク：＿＿＿＿＿の読み方を書いてください。

1. 心： **安心**する **心配**する **熱心**な **心** heart
   　　　あんしん　　しんぱい　　ねっしん　　こころ

2. 汚： **汚**い　　　**汚**れる
   　　　よご

3. 答： **答**える　　**答**え
   　　　こた

4. 台： **台**風　　　〜**台**　　　**台**所
   　　　　　　　　　だい　　　だいどころ

5. 通： **通**る　　　**通**う　　　**交通**　　　**普通**
   　　　　　　　　かよ　　　こうつう　　　ふつう

II . タスク

1. | **勢** | **熱** |

   1) あの学生は　　　心です。
   　　がくせい　　　ねっ　　しん

   2) 学生が大　　　住んでいます。
   　　がくせい　おお　ぜい　す

2. | **配** | **酒** |

   1) お　　　を飲みます。
   　　　さけ　　　の

   2) ニュースを聞いて、心　　　します。
   　　　　　　　き　　　しん　　ばい

III . タスク

1. 1) | **心配する** | ⟷ | **安心する** | 　　　 | **死ぬ** |

   2) | **生まれる** | ⟷ | ⬚ | 　　　 | **答える** |
   　　　う

   3) | **質問する** | ⟷ | ⬚ | 　　　 | **安心する** |
   　　　しつもん

2. 1) | **きれいな** 水 | ⟷ | ⬚ 水 | 　　　 | **狭い** |
   　　　　　　　みず

   2) | **広**い 道 | ⟷ | ⬚ 道 | 　　　 | **汚**い |
   　　ひろ　みち

解答　I . 1. あんしん　2. きたな　3. こた　4. たいふう　5. とお
かいとう
　　II . 1. 1) 熱　2) 勢　2. 1) 酒　2) 配
　　III . 1. 2) 死ぬ　3) 答える　2. 1) 汚い　2) 狭い

Ⅳ. 読み物

---
1. 地震

　地震がありました。たくさんの家が**倒れ**ました。**火事**になりました。たくさんの家が焼けました。**大勢**の人が**死に**ました。

　交通が止まっています。店が閉まっています。食べ物がもうありません。**困って**いたとき、知らない人が食べ物を分けて*くれました。

　水道の水が出ません。1日に2回、水を運ぶ車が近くまで来ます。車まで水をもらいに行って、うちへ運びます。重い水を持って歩いていたとき、知らない人が手伝ってくれました。

　5年前の冬でした。忘れません。

* 分ける share

---
2. いっしょに行きませんか

　ここはこの町でいちばんにぎやかな**所**です。たくさんの店が**並んで**います。

　この道は車は**通り**ません。だから、**安心**して歩けます。おしゃべりしながらゆっくり品物を見ましょう。いい物が見つかりましたか。

　おいしいレストランがありますから、おなかがすいたら、行きましょう。**狭くて**、**汚い**ですけど、味は最高*です。

　おいしいコーヒーの店がありますから、疲れたら、行きましょう。広くて、きれいで、ゆっくり休めます。

*最高 best

40 都 合 表 返 次 個 危

385 399 481 498 253 262 403

Ⅰ. 読み方

A 1. 都合（つごう）　　都合がいいです　　都合が悪いです（わる）

2. 表（おもて）　　紙の表（かみ）　　はがきの表

3. 返事（へんじ）　　返事をします　　返事を書きます（か）

4. 次（つぎ）　　次の電車（でんしゃ）　　次の日（ひ）　　次に、このボタンを押します

5. ～個（こ）　　りんごを5個買いました（か）　　赤のボタンが6個欲しいです（あか）（ほ）

6. 危険な（きけん）　　危険な道（みち）　　危険な所（ところ）

7. 危ない（あぶ）　　危ない所（ところ）　　危ない物（もの）

8. 必要な（ひつよう）　　必要な物（もの）　　車が必要です（くるま）

9. 合う（あ）　　サイズが合います　　大きさが合います（おお）

10. 間に合う（ま）（あ）　　食事の時間に間に合います（しょくじ）（じかん）　　飛行機に間に合います（ひこうき）

11. 要る（い）　　パスポートが要ります　　ビザが要ります

12. 返す（かえ）　　お金を返します（かね）　　本を返します（ほん）

13. 決める（き）　　予定を決めます（よてい）　　ホテルを決めます

14. 込む（こ）　　デパートが込んでいます　　道が込んでいます（みち）

15. 出発する（しゅっぱつ）　　あした出発します　　8時に出発します（じ）

16. 調べる（しら）　　道を調べます（みち）　　地図を調べます（ちず）　　地図で道を調べます

17. 初めに（はじ）　　初めに、野菜を切ります（やさい）（き）　　初めに、復習をします（ふくしゅう）

18. 初めて（はじ）　　初めて、日本へ来ました（にほん）（き）　　初めて、お酒を飲みます（さけ）（の）

B 1. ～以下（いか）　　60キロ以下　　120センチ以下　　10万円以下（まんえん）

2. ～以上（いじょう）　　1時間以上（じかん）　　10年以上（ねん）　　20人以上（にん）

3. ～会（かい）　　運動会（うんどう）　　新年会（しんねん）　　忘年会（ぼうねん）

4. ～本（ほん/ぼん/ぽん）　　ビールを6本買います（ぼん）（か）　　フィルムを3本持って行きます（ぼん）（も）（い）

Ⅱ. 使い方

1. お祝いのお金は特別な袋に入れます。袋の表に「お祝い」と書きます。

2. 彼女から返事が来ません。いつもはすぐ返事をくれますから、心配です。

3. 初めに、社長の話があります。次に、部長の話があります。

4. このスーツには赤いネクタイが合いますか、青いネクタイが合いますか。

5. 図書館へ行きます。調べたいことがあります。借りている本も返します。

6. あしたはちょっと都合が悪いです。あさってなら、いいんですが。

Ⅲ. 書き方

都	十	土	耂	者	者	者	者	者	都
合	ノ	人	스	合	合	合			
表	一	十	丰	主	声	丢	表	表	
返	一	厂	万	反	反	返	返		
次	丶	冫	冫	汇	次	次			
個	亻	亻	们	们	個	個	個	個	個
危	ノ	勹	产	产	危	危			
険	乛	阝	阝	阽	阽	険	険	険	
要	一	一	一	西	西	西	要	要	要
決	丶	冫	冫	汁	汀	决	決		
込	ノ	入	込	込	込				
発	フ	ㄆ	ㄡ	癶	癶	癶	癶	発	発
調	丶	言	言	訂	訂	調	調	調	調
初	丶	フ	ネ	ネ	ネ	初	初		

40 漢字博士

I. まとめ

個	1個 いっこ	2個 にこ	3個 さんこ	4個 よんこ	5個 ごこ	6個 ろっこ	7個 ななこ	8個 はっこ	9個 きゅうこ	10個 じゅっこ	何個 なんこ
本	1本 いっぽん	2本 にほん	3本 さんぼん	4本 よんほん	5本 ごほん	6本 ろっぽん	7本 ななほん	8本 はっぽん	9本 きゅうほん	10本 じゅっぽん	何本 なんぼん

II. クイズ

1．りんごが5個ありました。7個もらいました。何個になりましたか。

2．旅行します。ホテル代は4万8千円です。飛行機代は3万2千円です。ほかに2万円ぐらいかかります。全部でいくらぐらいお金が必要ですか。

3．東京の友達の家まで車で行きます。うちから8時間かかります。友達の家に午後5時に着きたいです。何時にうちを出発したらいいですか。

4．クリスマスパーティーに行きます。千円以下のプレゼントを持って行きます。ちょうど*千円になるように、品物を2つ選んでください。

*ちょうど　just

a.　　　　　b.　　　　　c.　　　　　d.　　　　　e.

200円　　　150円　　　500円　　　800円　　　950円

III. タスク

1．今年も頑張りましょう。　　・　　・a．新年会
しんねん

2．今年1年、お疲れさまでした。　・　　・b．二次会
にじ

3．もう1+軒*、行きませんか。　　・　　・c．忘年会
ぼうねん

4．走れ！　負けるな！　　　　　・　　・d．運動会
うんどう

* 軒 counter for houses/buildings

解答　II．1．12個　2．10万円　3．午前9時　4．aとd　　III．1．a　2．c　4．d

Ⅳ. 読み物

── 1. 初めての海外旅行 ──

　外国へ行きます。パスポートが**必要**です。ビザも**要ります**。パスポートとビザを取りに行きました。

　旅行社でもらった紙に、注意が書いてあります。「**危険**ですから、大きな道以外*、歩かないでください。**危ない**ですから、夜はホテルの外へ出ないでください。」

　あした、**出発**です。**必要な**物を全部入れたかどうか、もう一度かばんの中を見ます。あしたは、9時の飛行機に**間に合う**ように、6時に家を出ます。

　初めての海外旅行です。ちょっと心配です。でも、とても楽しみです。

* 〜以外 except for 〜

── 2. 忘年会 ──

Ａ：今年の忘年会、どうするか、そろそろ決めないと。

Ｂ：そうですね。

Ａ：12月は店が込むから、早く予約したほうがいいですよ。

Ｂ：じゃ、みんなに、**都合**がいい日を聞きます。

Ａ：去年の店はおいしくなかったですねえ。

Ｂ：そうですか。じゃ、今年は違う店でやります。

Ａ：去年はビールが足りませんでしたよ。20**本**頼んだんですけど。

Ｂ：そうですか。じゃ、今年は30**本**頼みます。

Ａ：それから、**二次会**はぜひ、カラオケに行きましょうよ。

Ｂ：そうですね。考えておきます。

I.

口	国	困	回	園
	35	511	512	513

1．1週間に1＿＿＿、図書館へ行きます。
　　しゅうかん　　　　　かい　　　としょかん　い

2．＿＿＿際電話のかけ方がわからないんですが、教えていただけませんか。
　　こく さいでん わ　　　　かた　　　　　　　　　　　　　おし

3．日曜日、お父さんとお母さんと弟と動物＿＿＿へ行きました。
　　にちようび　とう　　　かあ　　　おとうと どうぶつ えん　い

4．＿＿＿ったなあ。地図をなくしてしまいました。
　　こま　　　　　ち ず

II.

辶	近	込	返	途
	85	496	498	501

1．＿＿＿所に新しいパン屋ができました。
　　きん じょ あたら　　　　　や

2．来る＿＿＿中で、山田さんに会いました。
　　く　　と ちゅう　やま だ　　あ

3．図書館へ本を＿＿＿しに行きます。
　　としょかん ほん　　かえ　い

4．電車で学校に通っています。毎朝、＿＿＿んでいます。
　　でんしゃ がっこう かよ　　　　まいあさ　　こ

III.

辶	通	連	過	違
	502	503	504	507

1．普＿＿＿は遅いですから、急行に乗ってください。
　　ふ つう　　おそ　　　　　きゅうこう の

2．日本は交＿＿＿が便利だと思います。
　　にほん　こう つう　べんり　　おも

3．広い道を＿＿＿ったほうがいいです。安全ですから。
　　ひろ みち　　とお　　　　　　　あんぜん

4．12時を＿＿＿ぎました。昼ご飯を食べに行きましょう。
　　じ　　す　　　　ひる はん た　い

5．答えが＿＿＿います。もう一度、考えてください。
　　こた　　ちが　　　　　いち ど かんが

6．子どもを病院へ＿＿＿れて行きます。
　　こ　　　びょういん　　つ　い

解答　I．1．回　　2．国　　3．園　　4．困　　II．1．近　　2．途　　3．返　　4．込
かいとう　III．1．通　　2．通　　3．通　　4．過　　5．違　　6．連

Ⅳ. 漢字を作ってください。

1. 無 + 舛　　病院へ友達のお見＿＿＿いに行きます。
　　　　　　びょういん ともだち み ま い

2. 無 + 灬　　あまり＿＿＿理をしないほうがいいですよ。
　　　　　　　　　　む り

3. 埶 + 灬　　＿＿＿いコーヒーが飲みたいです。
　　　　　　あつ の

4. 埶 + 力　　地震で人が大＿＿＿死にました。
　　　　　　じしん ひと おお ぜい し

Ⅴ. 反対の意味のことばはどれですか。

1. 1）特別な ↔ 普通の＿＿＿　　2）危険な ↔ ＿＿＿
　　とくべつ　　　　　　　　　きけん

　　3）便利な ↔ ＿＿＿　　　　4）きれいな ↔ ＿＿＿
　　べんり

普通の	不便な	安全な	汚い
ふつう	ふべん	あんぜん	きたな

2. 1）広い ↔ ＿＿＿　　　　　2）強い ↔ ＿＿＿
　　ひろ　　　　　　　　　　つよ

　　3）難しい ↔ ＿＿＿　　　　4）細い ↔ ＿＿＿
　　むずか　　　　　　　　　ほそ

弱い	易しい	太い	狭い
よわ	やさ	ふと	せま

3. 1）入学する ↔ ＿＿＿　　　2）予習する ↔ ＿＿＿
　　にゅうがく　　　　　　　よしゅう

　　3）質問する ↔ ＿＿＿　　　4）安心する ↔ ＿＿＿
　　しつもん　　　　　　　　あんしん

卒業する	復習する	答える	心配する
そつぎょう	ふくしゅう	こた	しんぱい

4. 1）生まれる ↔ ＿＿＿　　　2）つける ↔ ＿＿＿
　　う

　　3）間に合う ↔ ＿＿＿　　　4）すく ↔ ＿＿＿
　　ま あ

死ぬ	遅れる	消す	込む
し	おく	け	こ

解答　Ⅳ. 1. 舞　2. 無　3. 熱　4. 勢　Ⅴ. 1. 2）安全な　3）不便な　4）汚い
かいとう
2. 1）狭い　2）弱い　3）易しい　4）太い　3. 1）卒業する　2）復習する
3）答える　4）心配する　4. 1）死ぬ　2）消す　3）遅れる　4）込む

41 祝 菓 舞 産 果 靴 宿
335 410 456 442 247 376 428

Ⅰ. 読み方

A 1. お祝い　　入学のお祝い　　お祝いをします　　お祝いをあげます
　　　（いわ）　　（にゅうがく）

2. お菓子　　日本のお菓子　　中国のお菓子　　お菓子を食べます
　　（か し）　　（に ほん）　　（ちゅうごく）　　　　　（た）

3. お見舞い　　お見舞いに行きます　　友達のお見舞いに行きます
　　（み ま）　　　　　　（い）　　　　（ともだち）

4. お土産　　タイのお土産　　旅行のお土産　　お土産を買います
　　（みやげ）　　　　　　　　（りょこう）　　　　　　　（か）

5. 果物　　果物売り場　　果物を買います
　　（くだもの）　　　（う ば）　　　　　（か）

6. 靴　　赤い靴　　25センチの靴　　靴をはきます
　　（くつ）　（あか）

7. 靴下　　白い靴下　　黒い靴下　　靴下をはきます
　　（くつした）　（しろ）　　　（くろ）

8. 宿題　　英語の宿題　　作文の宿題　　宿題をします
　　（しゅくだい）　（えい ご）　　　（さくぶん）

9. 祖父　　祖父の写真　　祖父に昔の話を聞きました
　　（そ ふ）　　　（しゃしん）　　　（むかし はなし き）

10. 祖母　　祖母の着物　　祖母を思い出しました
　　（そ ぼ）　　　（きもの）　　　　（おも だ）

11. 手袋　　白い手袋　　長い手袋　　手袋をします
　　（て ぶくろ）　（しろ）　　　（なが）

12. 文法　　日本語の文法　　英語の文法　　文法を習います
　　（ぶんぽう）　（に ほん ご）　　（えい ご）　　　　（なら）

13. 取る　　すみませんが、はさみを取ってください
　　（と）　　　　　　　　　　　　（と）

14. 取り替える　　カーテンを取り替えます　　靴を取り替えてもらいます
　　（と か）　　　　　　　　　　　　　　　　（くつ）

B 1. 発音　　中国語の発音　　タイ語の発音　　発音がいいです
　　（はつおん）　（ちゅうごく ご）

Ⅱ. 使い方

1. この時計は入学のお祝いに父にもらいました。父は25年前に、この
　　（とけい）（にゅうがく）　　　（ちち）　　　　　　　　（ねんまえ）
　時計を祖父からもらいました。

2. お土産をもらいました。タイのお菓子です。1つ食べてみましょう。
　　　　　　　　　　　　　　　　　　　　（ひと）（た）

3. 友達のお見舞いに行きます。果物を持って行きます。
　　（ともだち）　　（い）　　　（も）

4. 仕事の日、黒い靴をはきます。パーティーの日、白い靴をはきます。
　　（し ごと ひ）（くろ くつ）　　　　　　　　　　　　（しろ）
　デートの日、赤い靴をはきます。
　　　　　　（あか）

5．小さな**靴下**です。かわいい**靴下**です。赤ちゃんの**靴下**です。

6．わたしは小学生です。毎日、**宿題**があります。わたしは**宿題**が好き
じゃありません。先生は**宿題**が好きですか。

7．このスーツは**祖母**が買ってくれました。大学入学の**お祝い**です。

8．大きい**手袋**はお父さんの**手袋**です。小さい**手袋**はわたしの**手袋**です。

9．日本語の**発音**は難しいです。日本語の**文法**も難しいです。

10．この**靴**、茶色のと**取り替え**ていただけませんか。

Ⅲ．書き方

祝	丶	ラ	ネ	ネ	ネ	礼	祀	祀	祝
菓	一	艹	艹	芇	苩	苩	草	菓	菓
舞	一	二	無	無	舞	舞	舞	舞	舞
産	丶	亠	立	立	产	产	产	産	産
果	丶	口	日	日	旦	甲	果	果	
靴	一	艹	艹	昔	苩	革	靪	靪	靴
宿	宀	宀	宀	宀	宿	宿	宿	宿	宿
祖	丶	ラ	ネ	ネ	礼	初	袒	袒	祖
袋	イ	仁	代	代	伐	袋	袋	袋	袋
法	丶	冫	氵	汁	汁	注	法	法	
取	一	丆	下	下	耳	耳	取	取	
替	一	二	夫	夫	夫三	扶	扶	替	替

41 漢字博士

Ⅰ. **タスク**：左の漢字の中にある漢字を右から見つけてください。
　　　　　　　　ひだり　かんじ　　なか　　　　　　　　みぎ　み

1. 1）菓・　　　・a. 生　　　2. 1）宿・　　　・a. 日
　 2）産・　　　・b. 果　　　　 2）取・　　　・b. 百
　 3）法・　　　・c. 兄　　　　 3）替・　　　・c. 夫
　 4）祝・　　　・d. 去　　　　　　　　　　　・d. 耳

Ⅱ. **タスク**

1. ⁺結⁺婚する友達に**お祝い**にあげる物
　 けっ　こん　　　ともだち　　　　　　　　　もの

　　時計　　　コーヒーカップ　　エプロン　　お金
　　とけい　　　　　　　　　　　　　　　　　　かね

2. 赤ちゃんが生まれたとき、**お祝い**にあげる物
　 あか　　　　う　　　　　　　　　　　　　　もの

　 1）_____　2）_____　　　服　　アルバム　おもちゃ
　　　　　　　　　　　　　　　　　ふく

3. 病気の友達に**お見舞い**に持って行く物
　 びょうき　ともだち　　　み　い　も　　い　もの

　　花　　1）_____　本　　CD　　2）_____
　　はな　　　　　　　ほん

解答　Ⅰ. 1. 2）a　3）d　4）c　2. 1）b　2）d　Ⅱ. 2. 1）靴　2）靴下　3. 1）果物
かいとう
　　　2）お菓子

Ⅲ. 読み物

金 +婚式*1
きん こんしき

　今年は**祖父**と**祖母**が +結 +婚して、50年目です。だから、みんなで、**お**
けっ こん

祝いをしました。

　祖父と**祖母**は子どもが4人います。上から3番目が母です。母の兄弟
はみんな +結 +婚していて、子どもがいます。 +孫は全部で9人です。わた
まご

しは7番目の +孫です。

　みんなで小さな旅行をしました。山の中の旅館*2に泊まりました。ゆ
りょかん と

っくりおふろに入って、きれいな景色を見て、いっしょに写真を +撮りま
と

した。料理は、**祖母**と**祖父**が好きな魚や野菜の料理でした。みんなで食

べて、飲んで、おしゃべりしました。

　食事のあとで、2人にプレゼントをあげました。わたしは**祖母**に**手袋**
をあげました。**祖父**には**靴下**をあげました。プレゼントを渡す*3とき、
わた

お祝いを言いました。

　「おじいちゃん、おばあちゃん、おめでとうございます。これからも
元気で、長生きして*4ください。」
なが い

*1 金婚式 golden wedding anniversary　　*2 旅館 Japanese-style hotel　　*3 渡す hand

*4 長生きする live long

42　石　済　政　化　律　際　厚
　　　　458　287　389　255　271　298　486

Ⅰ. 読み方

A 1. 石（いし）　　　大きい石（おお）　小さい石（ちい）　きれいな石

2. 経済（けいざい）　　日本の経済（にほん）　アメリカの経済　経済問題（もんだい）

3. 政治（せいじ）　　　政治の話（はなし）　政治の勉強（べんきょう）　政治問題（もんだい）

4. 文化（ぶんか）　　　中国の文化（ちゅうごく）　インドの文化

5. 法律（ほうりつ）　　日本の法律（にほん）　シンガポールの法律

6. 国際～（こくさい）　国際電話（でんわ）　国際空港（くうこう）　国際問題（もんだい）

7. 厚い（あつ）　　　　厚い紙（かみ）　厚い本（ほん）

8. 薄い（うす）　　　　薄い紙（かみ）　薄いノート　薄いセーター

9. 包む（つつ）　　　　プレゼントを包みます　品物を包んでもらいます（しなもの）

10. 沸かす（わ）　　　　お湯を沸かします（ゆ）　ふろを沸かします

B 1. 教育（きょういく）　子どもの教育　学校教育（がっこう）　教育問題（もんだい）

2. 社会（しゃかい）　　日本社会（にほん）　国際社会（こくさい）　社会問題（もんだい）

3. ～家（か）　　　　　小説家（しょうせつ）　音楽家（おんがく）

Ⅱ. 使い方

1. きれいな石でしょう？　海岸で拾った石です。この石を見ると、夏の（かいがん　ひろ　　　　　　　　　　　　　　み　　　　　なつ）海を思い出します。（うみ　おも　だ）

2. 経済の本を読みます。でも、これから日本の経済がどうなるか、わか（ほん　よ　　　　　　　　　　　　　　にほん）りません。

3. 政治は大切だと思います。わたしは政治の勉強をして、みんなのた（たいせつ　おも　　　　　　　　　　　　べんきょう）めにいい社会を作りたいです。（つく）

4. 世界にはいろいろな国があります。いろいろな文化があります。クラ（せかい　　　　　　　　くに）スにはいろいろな国の人がいます。文化が違っても、みんな友達です。（ひと　　　　　　　　ちが　　　　　　　　ともだち）

5. **法律**を勉強しています。**厚い**本を読んで、たくさんの**法律**を覚えます。

6. **国際**電話は高いです。時計を見ながら、**国際**電話をかけます。

7. 今日は寒いです。**厚い**セーターを着て、**厚い**靴下をはいて、**厚い**手袋をしましょう。

8. ふろしきは便利です。**薄くて**、軽いし、いろいろな形の物が**包めます**。

9. 朝起きたら、まず、お湯を**沸かします**。そして、コーヒーをいれます。

10. **教育**はとても大切だと思いました。だから、小学校の先生になりました。

11. **社会**のために何かしたいと思って、ボランティアを始めました。

12. わたしは音楽が好きです。音楽**家**になりたいです。友達は本が好きです。小説**家**になりたいと言っています。

Ⅲ. 書き方

石	一	ア	ズ	石	石			
済	丶	シ	ジ	汀	泸	泲	済	溶	済
政	一	T	F	正	正	正	政	政
化	ノ	イ	化	化				
律	ノ	ク	彳	彴	行	伊	待	律	律
際	'	3	阝	阝	阡	阼	陘	隍	際
厚	一	厂	厂	戸	戸	厚	厚	厚
薄	艹	艹	芦	芦	菏	蒲	蒲	薄	薄
包	ノ	ク	勺	匀	包			
沸	丶	丷	シ	沪	沪	沸	沸	沸

42 漢字博士

Ⅰ．タスク：＿＿＿＿の読み方を書いてください。

1. 育：　教**育**　　　**育**てる　　　　2. 治：　政**治**　　　**治**る
そだ　　　　　　　　　　　　　　　　　　　　　　　　　なお

Ⅱ．タスク：漢字の読み方が同じことばを集めました。

1. 教：　　**教**育　　はどちらに入りますか。
はい

┌─────────────────────────┐　　┌─────────────────────────┐
│ ①　**教**室　　**教**会 │　　│ ②　**教**える │
│ 　　きょうしつ　きょうかい │　　│ 　　おし │
└─────────────────────────┘　　└─────────────────────────┘

2. 家：　　音楽**家**　と　　小説**家**　はどこに入りますか。
はい

┌──────────────┐　┌──────────────┐　┌──────────────┐
│ ①　**家**内 │　│ ②　**家** │　│ ③　貸し**家**[2] │
│ 　　かない │　│ 　　いえ │　│ 　　かや │
│ 　　**家**族 │　│ 　　**家**出する[1] │　│ │
│ 　　かぞく │　│ 　　いえで │　│ │
└──────────────┘　└──────────────┘　└──────────────┘

[1] 家出する run away from home　　[2] 貸し家 house for rent

Ⅲ．読み物

─── 新聞 ───

　朝です。新聞が来ます。ずいぶん**厚い**です。30ページ[1]以上あります。表のページの大きな字はその日のいちばん大きなニュースを知らせています。

　国際ニュースを読みます。遠い国、近い国、いろいろな国のニュースがのって[2]います。先週はアジアの国がシンガポールで会議を開いて、アジアの**政治**や**経済**の問題を話しました。来月は世界の国が東京で**国際**会議を開きます。

　日本のニュースを読みます。今日の**政治**のページの大きなニュースは今度できる新しい**法律**のことです。2人の**法律**の**専門家**[3]の意見ものっ
せんもんか

───────────────────────────

解答　Ⅰ．1．きょういく　2．せいじ　Ⅱ．1．教育①　2．音楽家①　小説家①
かいとう

ています。

　経済のページを読みます。有名な自動車の会社にフランスから社長が来ます。Ｍ銀行とＳ銀行が来年の４月から１つの新しい銀行になります。円は今123円ぐらいです。最近、安くなっています。

　好きなチームが勝ったときは、スポーツのページを読むのが楽しみです。国際大会で日本のチームが勝つと、このページが厚くなります。

　文化のページを読めば、よく売れている本やCDなどについて知ることができます。日曜日にはいろいろな特集*4があります。

　最後の*5ページはテレビの番組です。教育テレビで何時からフランス語会話をやっているか、調べなければなりません。

---

*1 ページ page　　*2 のる appear　　*3 専門家 specialist　　*4 特集 feature article　　*5 最後の the last

漢字忍者

1. ～家　　小説家 novelist　　音楽家 musician　　+専+門家 specialist
　　　　　　しょうせつか　　　おんがくか　　　　せんもんか
　　　　　　画家 painter　　作家 writer
　　　　　　がか　　　　　さっか

2. ～員　　会社員 company employee　　銀行員 bank employee
　　　　　　かいしゃいん　　　　　　　　ぎんこういん
　　　　　　船員 sailor　　駅員 station employee　　店員 shop clerk
　　　　　　せんいん　　　えきいん　　　　　　　　　てんいん

3. ～手　　運転手 driver　　歌手 singer　　選手 player, athlete
　　　　　　うんてんしゅ　　かしゅ　　　　せんしゅ

4. ～生　　卒業生 graduate　　留学生 foreign student
　　　　　　そつぎょうせい　　りゅうがくせい
　　　　　　中学生 junior-high school student　　学生 student　　先生 teacher
　　　　　　ちゅうがくせい　　　　　　　　　　　　がくせい　　　　せんせい

5. ～者　　科学者 scientist　　研究者 researcher　　出席者 person present
　　　　　　かがくしゃ　　　　けんきゅうしゃ　　　しゅっせきしゃ
　　　　　　医者 doctor　　学者 scholar　　読者 reader　　+忍者 'ninja'
　　　　　　いしゃ　　　　　がくしゃ　　　どくしゃ　　　にんじゃ

6. ～人　　日本人 Japanese　　中国人 Chinese　　外国人 foreigner
　　　　　　にほんじん　　　　ちゅうごくじん　　　がいこくじん
　　　　　　見物人 onlooker　　通行人 passerby　　+恋人 girlfriend, boyfriend
　　　　　　けんぶつにん　　　　つうこうにん　　　こいびと

43

符 448　枚 328　暑 437　寒 429　暖 342　涼 286　咲 311

Ⅰ. 読み方

A
1. 切符（きっぷ）　電車（でんしゃ）の切符　切符を買（か）います
2. 〜枚（まい）　シャツを2枚買（か）います　コピーが1枚足（た）りません
3. 暑（あつ）い　暑い国（くに）　暑い日（ひ）　8月（がつ）は暑いです
4. 寒（さむ）い　寒い国（くに）　寒い日（ひ）　2月（がつ）は寒いです
5. 暖（あたた）かい　暖かい所（ところ）　暖かい部屋（へや）　暖かい日（ひ）
6. 涼（すず）しい　涼しい所（ところ）　涼しい日（ひ）　涼しい風（かぜ）
7. 咲（さ）く　花（はな）が咲きます　赤（あか）い花が咲いています
8. 払（はら）う　お金（かね）を払います　電話代（でんわだい）を払います
9. 増（ふ）える　人（ひと）が増えます　子どもが増えます　車（くるま）が増えます
10. 迎（むか）える　友達（ともだち）を迎えに行（い）きます　友達が迎えに来（き）てくれました

B
1. 火（ひ）　たばこの火　ガスの火　火を消（け）します
2. 変（へん）な　変な味（あじ）　変な音（おと）　変な天気（てんき）
3. 上（あ）がる　熱（ねつ）が上がります　円（えん）が上がります
4. 下（さ）がる　熱（ねつ）が下がります　円（えん）が下がります
5. 落（お）ちる　荷物（にもつ）が落ちます　箱（はこ）が落ちます

Ⅱ. 使い方

1. 切符（きっぷ）を2枚買（か）いました。1枚は彼（かれ）の切符です。1枚はわたしの切符です。
2. 外（そと）は暑（あつ）いです。部屋（へや）の中（なか）はもっと暑いです。エアコンがありませんから。
3. 2月（がつ）は寒（さむ）いです。今日（きょう）は特（とく）に寒いです。暖（あたた）かい部屋（へや）から出（で）たくないです。
4. 涼（すず）しい風（かぜ）です。秋（あき）が来（く）るのを知（し）らせる風です。もうすぐ夏（なつ）が終（お）わります。
5. 暖（あたた）かい春（はる）。暑（あつ）い夏（なつ）。涼（すず）しい秋（あき）。寒（さむ）い冬（ふゆ）。そして、また、暖かい春。
6. 花（はな）が咲（さ）いています。山（やま）に咲いています。町（まち）にも咲いています。春（はる）ですね。

7．彼女が食事代を**払い**ました。わたしがコーヒー代を**払い**ました。
　　かのじょ　しょくじだい

8．家が**増え**ました。店が**増え**ました。人が**増え**ました。車が**増え**ました。
　　いえ　　　　みせ　　　　ひと　　　　くるま

9．遅くなると、**迎え**に来てくれます。雨が降ると、**迎え**に来てくれます。
　　おそ　　　　　　き　　　　　　あめ　ふ

　　お母さんといっしょに帰ります。
　　かあ　　　　　　　　かえ

10．寒い冬。**暖かい火**と音楽と少しのお酒があれば、**寒い冬**も好きです。
　　ふゆ　　　　　　　おんがく　すこ　　さけ　　　　　　　　　　す

11．車のエンジンの音が**変**です。一度、見てもらいましょう。
　　くるま　　　　　おと　　　　いちど　み

12．花火の音が聞こえます。屋上に**上がれ**ば、見えるかもしれません。
　　はなび　おと　き　　　　おくじょう　　　　　　み

13．熱が**下がり**ました。あしたは学校に行けるでしょう。
　　ねつ　　　　　　　　　がっこう　い

14．台風が来ました。風で木からりんごが**落ち**ました。たくさん**落ち**ました。
　　たいふう　き　　　かぜ　き

Ⅲ．書き方

符	⺈	⺌	𥫗	𥫗	竺	符	竿	符	符
枚	一	十	才	木	朾	杧	朹	枚	
暑	口	日	旦	早	昆	昇	昇	暑	暑
寒	宀	宀	宇	宙	審	寈	寒	寒	寒
暖	Π	日	旷	旷	旷	晖	暖	暖	暖
涼	冫	氵	汀	沪	沪	泸	浐	涼	涼
咲	丶	口	口	口	吇	叱	吟	咲	咲
払	一	扌	扌	払	払				
増	士	圹	圹	圹	圳	増	増	増	増
迎	丶	乚	乛	卬	卬	迎	迎		

I．タスク：＿＿＿＿の読み方を書いてください。

1．火：　火　　花火　　火曜日　　火事　　火星*

＊Mars

2．変：　変な　　大変な　　変えます　　変わります

II．タスク

1．火が　　　●―――――　a．消えます

2．切符を　　●　　　　　　●　b．払います

3．お金を　　●　　　　　　●　c．落ちます

4．＋桜が　　●　　　　　　●　d．買います

5．飛行機が　●　　　　　　●　e．咲きます

III．読み物

マッチ売りの少女*1

アンデルセン*2

　とても寒い日です。雪が降っています。もう夕方です。

　小さな女の子が1人、歩いています。服は古くて、汚いし、靴をはいていません。とても寒そうです。小さな足は赤くなっています。女の子はマッチを売っています。でも、マッチを買う人はいません。

　女の子はとても疲れて、おなかがすいています。もう歩けません。女の子は道の片側*3の家の前に、小さくなって座りました。手がとても冷たいです。マッチの火があれば、少し暖かくなるかもしれない。そう思って、女の子はマッチを1本取って、火をつけました。

解答　I．1.ひ　2.へん　　II．2.d　3.b　4.e　5.c

女の子はストーブ*4 の前にいました。**火**がよく ⁺燃えています。とても **暖かくて**、気持ちがいいです。女の子はストーブに手を近づけ*5 ました。そのとき、マッチの**火**が消えました。ストーブも消えました。

女の子は2本目のマッチをつけました。今度は女の子の前にテーブルがありました。テーブルの上に料理が並んでいます。とてもおいしそうです。でも、食べる前に、マッチの**火**が消えて、料理も消えてしまいました。

女の子はもう1本、マッチをつけました。女の子はクリスマス・ツリー*6 の下に座っていました。緑の枝の上にたくさんのろうそく*7 が ⁺燃えています。ろうそくの**火**は空の星になりました。星が1つ**落ち**ました。

女の子はもう1本、マッチをつけました。女の子の前に、死んだおばあさんが立っていました。優しかったおばあさん。「おばあさん！　わたしもいっしょに連れて行って！」おばあさんが消えないように、女の子は急いで、残っているマッチ全部に**火**をつけました。

寒い寒い次の朝、小さな女の子が死んでいるのが見つかりました。女の子の前には燃えたマッチが**落ち**ていました。そして、女の子の顔は ⁺幸せそうでした。

---

*1 マッチ売りの少女 The Little Match Girl　　*2 アンデルセン Hans Christian Andersen
*3 片側 one side　　*4 ストーブ heater　　*5 近づける bring (a thing) close (to)
*6 クリスマス・ツリー Christmas tree　　*7 ろうそく candle

44 頭 顔 髪 倍 由 押 痛
394 395 465 261 239 316 495

I. 読み方

A 1. 頭 　頭がいい人　　頭が痛いです
　　 あたま　　　　　ひと　　　　　いた

2. 顔 　かわいい顔　　おもしろい顔　　顔が長いです
　　 かお　　　　　　　　　　　　　　　　なが

3. 髪 　長い髪　　短い髪　　黒い髪　　髪が多いです
　　 かみ　　なが　　　みじか　　　くろ　　　おお

4. ～倍 　2倍　　3倍　　⁺給料が2倍になりました
　　 ばい　　　　　　　　きゅうりょう

5. 理由 　遅れた理由　　休んだ理由　　理由を言います
　　 りゆう　　おく　　　　　　やす

6. 押し入れ 　押し入れの中の荷物　　押し入れに入れます
　　 お　　い　　　　　なか　にもつ　　　　　　い

7. 痛い 　頭が痛いです　　おなかが痛いです　　歯が痛いです
　　 いた　　あたま　　　　　　　　　　　　　　　は

8. 静かな 　静かな部屋　　静かな場所　　春の海は静かです
　　 しず　　　　へや　　　　ばしょ　　　はる　うみ

9. 押す 　スイッチを押します　　ドアを押します
　　 お　　　　　　　　お

10. 泣く 　子どもが泣きます
　　 な　　　こ　　　な

11. 笑う 　赤ちゃんが笑います
　　 わら　　あか　　　　わら

B 1. 空気 　きれいな空気　　空気がいいです
　　 くうき

2. 細かい 　細かいお金　　細かく切ります
　　 こま　　　　　かね　　　　き

3. 安全な 　安全な所　　この食べ物は安全です
　　 あんぜん　　　ところ　　　た　もの

II. 使い方

1. うちの犬は頭もいいし、顔もかわいいです。
　　 いぬ

2. 飲みすぎて、頭が痛いです。食べすぎて、⁺胃も痛いです。
　　 の　　　　あたま　いた　　た　　　　　　い　　いた

3. 長い髪の男の子と短い髪の女の子が遊んでいます。
　　 なが　かみ　おとこ　こ　みじか　かみ　おんな　こ　　あそ

4. ⁺結⁺婚するときは、理由は要らないが、⁺離⁺婚するときは、理由が要
　　 けっ　こん　　　　　　　い　　　　　　り　こん
る。

5. サイズを2倍にして、コピーしてください。

6. その箱は押し入れに片づけてください。
　　 はこ　　　　　　かた

静　　　泣　　　笑
374　　276　　446

7．ドアに「**押す**」、「引く」と書いてあります。

8．**静**かで、空気がきれいな所に住みたいです。

9．**笑**いたいとき**笑**って、**泣**きたいとき**泣**いて、食べたいとき食べて、

　　寝たいとき寝る。そんな生活がしたいです。

10．赤ちゃんはおなかがすくと、**泣**きます。

11．自転車に**空気**を入れます。

12．バスに乗る前に、お金を**細**かくしておきます。

13．**安全**のために、シートベルトをしてください。

Ⅲ．書き方

頭	一	口	豆	豆	豆	豆	頭	頭	頭
顔	、	立	立	产	彦	彦	節	顔	顔
髪	ノ	厂	镸	長	髟	髟	髪	髪	髪
倍	イ	亻	广	伫	伫	位	倅	倍	倍
由	丨	冂	巾	由	由				
押	一	十	扌	扣	扣	扪	押	押	
痛	、	亠	广	疒	疒	疒	病	痌	痛
静	十	亖	青	青	靑	靜	静	静	静
泣	、	冫	氵	氵	汁	汁	泣	泣	
笑	ノ	卜	⺮	⺮	竹	竺	竺	竿	笑

Ⅰ．まとめ：いろいろな読み方
<ruby>読<rt>よ</rt></ruby>み<ruby>方<rt>かた</rt></ruby>

1. **安**——**安**い　**安**<ruby>売<rt>う</rt></ruby>り*1　**安物***2
　　　　　　<ruby>安<rt>やす</rt></ruby>　　　<ruby>安<rt>やす</rt></ruby><ruby>売<rt>す</rt></ruby>　　<ruby>安物<rt>やすもの</rt></ruby>
　　　　安心する　　**安全**な　　**不安**な*3
　　　　<ruby>安心<rt>あんしん</rt></ruby>　　　　<ruby>安全<rt>あんぜん</rt></ruby>　　<ruby>不安<rt>ふあん</rt></ruby>

　　　　　　　　　　　　　*1 bargain sale
　　　　　　　　　　　　　*2 cheap article
　　　　　　　　　　　　　*3 uneasy

2. **静**——**静**かな
　　　　<ruby>静<rt>しず</rt></ruby>
　　　　安静にする*4
　　　　<ruby>安静<rt>あんせい</rt></ruby>

　　　　　　　　　　　　　*4 rest quietly (in bed)

3. **細**——**細**かい
　　　　<ruby>細<rt>こま</rt></ruby>
　　　　細い
　　　　<ruby>細<rt>ほそ</rt></ruby>

4. **空**——**空**　**青空***5　**星空***6
　　　　<ruby>空<rt>そら</rt></ruby>　<ruby>青空<rt>あおぞら</rt></ruby>　<ruby>星空<rt>ほしぞら</rt></ruby>
　　　　空気　**空港**　**空席***7　**空室***8
　　　　<ruby>空気<rt>くうき</rt></ruby>　<ruby>空港<rt>くうこう</rt></ruby>　<ruby>空席<rt>くうせき</rt></ruby>　<ruby>空室<rt>くうしつ</rt></ruby>

　　　　　　　　　　　　　*5 blue sky　*6 starry sky
　　　　　　　　　　　　　*7 vacant seat　*8 vacant room

Ⅱ．まとめ

1. **押**す　＋　**入**れる　＝　**押**し**入**れ
　　<ruby>押<rt>お</rt></ruby>　　　　<ruby>入<rt>い</rt></ruby>　　　　　<ruby>押<rt>お</rt></ruby>　<ruby>入<rt>い</rt></ruby>
2. **引**く　＋　**出**す　＝　**引**き**出**し
　　<ruby>引<rt>ひ</rt></ruby>　　　　<ruby>出<rt>だ</rt></ruby>　　　　　<ruby>引<rt>ひ</rt></ruby>　<ruby>出<rt>だ</rt></ruby>
3. **頭**が　＋　**痛**い　＝　**頭痛**　headache
　　<ruby>頭<rt></rt></ruby>　　　　<ruby>痛<rt></rt></ruby>　　　　<ruby>頭痛<rt>ずつう</rt></ruby>
4. **泣**いている　＋　**顔**　＝　**泣**き**顔**　tearful face
　　<ruby>泣<rt></rt></ruby>　　　　　　　<ruby>顔<rt></rt></ruby>　　　<ruby>泣<rt>な</rt></ruby>　<ruby>顔<rt>がお</rt></ruby>
5. **笑**っている　＋　**顔**　＝　**笑顔**　smiling face
　　<ruby>笑<rt></rt></ruby>　　　　　　　<ruby>顔<rt></rt></ruby>　　　<ruby>笑顔<rt>えがお</rt></ruby>

Ⅲ．タスク：反対の意味のことばを書いてください。
<ruby>反対<rt>はんたい</rt></ruby>　<ruby>意味<rt>いみ</rt></ruby>　　　　　<ruby>書<rt>か</rt></ruby>

1. **引**く　↔　[　　]
　　<ruby>引<rt>ひ</rt></ruby>
2. **泣**く　↔　[　　]
　　<ruby>泣<rt>な</rt></ruby>
3. **半分**　↔　**倍**
　　<ruby>半分<rt>はんぶん</rt></ruby>
4. **危険**な　**場所**　↔　[　　]　**場所**
　　<ruby>危険<rt>きけん</rt></ruby>　<ruby>場所<rt>ばしょ</rt></ruby>

| 倍 |
| 押す |
| 安全な |
| 笑う |

Ⅳ．読み物

1．山に登る

　長い山の道を歩く。足が**痛くて**、**泣いている**子ども、**笑いながら**登る元気な学生、学生に体を**押して**もらうおばあさん。やっと目⁺的(もくてき)の場所に着いたとき、うれしい気持ちは**倍**になる。みんな「登ってよかったね」と、明るい**顔**で**笑って**いる。山の上は**空気**が薄くて、**頭**が**痛く**なる。でも、きれいな**空気**と**静かな**自⁺然(しぜん)*1 の中で心(こころ)が洗(あら)われる*2。わたしは山に登る。そこに山があるから、それが**理由**だ。

*1 自然 nature 　　*2 心が洗われる feel refreshed

2．細かいお金

　きのうは**細かい**お金がなくて、困った。バスを降りるとき、1万円⁺札(さつ)しかなくて、バス代が払えなかった。今日も自⁺動(じどう)販⁺売(はんばい)機でお茶を買おうと思ったが、5千円⁺札しかなくて、買えなかった。駅で**細かく**してもらおうと思ったが、できないと言われて、お茶も飲めなかった。

漢字忍者

顔のことば　慣用句(かんようく)idiom

1．涼(すず)しい**顔**をする assume a nonchalant air

2．**顔**から火(ひ)が出(で)る feel deeply ashamed

3．苦(にが)い**顔**をする make a wry face

4．大(おお)きい**顔**をする look proud

5．**頭**が重(おも)い feel heavy in the head

6．**頭**にくる get angry

7．鼻(はな)が高(たか)い be proud of

8．耳(みみ)が**痛い** be ashamed to hear

9．口(くち)が悪(わる)い have a sharp tongue

10．口(くち)が重(おも)い be slow of speech

45 贈 点 皆 速 念 覚 働
367 474 476 500 472 443 265

Ⅰ. 読み方

Ａ 1. 贈り物
おく もの　クリスマスに贈り物をします

2. 点
てん　いい点　100点　試験の点が悪かったです
しけん　わる

3. 皆さん
みな　皆さん、お世話になりました
せ わ

4. 速い
はや　特急は速いです　彼は仕事が速いです
とっきゅう　かれ しごと

5. 残念な
ざんねん　会えなくて残念でした
あ

6. 覚える
おぼ　漢字を覚えます　名前を覚えます
かんじ　なまえ

7. 働く
はたら　本屋で働きます　毎日8時間働きます
ほん や　まいにち じ かん

8. 練習する
れんしゅう　漢字を練習します　歌を練習します
かんじ　うた

9. 連絡する
れんらく　予定を連絡します　電話で連絡してください
よ てい　でん わ

Ｂ 1. 場合
ば あい　病気の場合　地震の場合　雨の場合　遅れる場合
びょうき　じしん　あめ　おく

2. 遅い
おそ　普通電車は遅いです　もう遅いですから、寝ます
ふ つうでんしゃ　ね

3. 用意する
ようい　飲み物を用意します　プレゼントを用意します
の もの

4. 急に
きゅう　急に予定が変わりました　急に用事ができました
よ てい か　ようじ

Ⅱ. 使い方

1. 彼女の⁺誕生日の贈り物は花にしよう。
かのじょ　たんじょう び　はな

2. 忙しくて、贈り物が用意できなかった。彼女にしかられた。
いそが　かのじょ

3. 試験の点が悪かった場合は、もう一度、受けることができる。
し けん　わる　いち ど　う

4. 彼女は100点です。わたしは0点です。
かのじょ

5. 特急は速いです。普通は遅いです。
とっきゅう　ふ つう

6. 夕方は道が込みますから、タクシーより電車のほうが速いです。
ゆうがた　みち こ　でんしゃ

7. 天気が悪くて、⁺富⁺士山が見えませんでした。残念でした。
てん き　わる　ふ じ さん み

8. 皆さん、残念ですが、あしたのパーティーは中止です。
ちゅう し

9. あの人の顔は**覚えている**が、名前は**覚えて**いない。

10. 弟は**働き**ながら、勉強しています。

11. 8時間**働いた**あとで、テニスの**練習**をするのは大変だ。

12. **急に**結婚を決めたので、**皆さん**に**連絡する**時間がありませんでした。

13. 休む**場合**は、必ず**連絡して**ください。

14. 日本の歌を**覚えます**。パーティーで歌うので、**練習しています**。

15. 今日はもう**遅い**ですから、帰りましょう。

16. **遅く**なってもいいですから、電話をください。

17. パーティーの飲み物はもう**用意しました**。

Ⅲ. 書き方

贈	目	貝	貝゛	貯	貯	贈	贈	贈	贈
点	⺊	⺊	卜	占	占	点	点	点	点
皆	一	ヒ	ﾋﾞ	比	比	毕	皆	皆	皆
速	一	厂	戸	弓	束	束	凍	速	速
念	ノ	人	人	今	今	念	念	念	
覚	⺋	⺍	⺍	⺍	労	労	覚	覚	覚
働	イ	仁	仁	仵	信	俥	働	働	働
練	幺	糸	糸	紅	紅	絅	紳	練	練
絡	⺍	幺	糸	糸	糸	紒	終	絡	絡

45 漢字博士

I. **タスク**：違う読み方はどれですか。

1. a. ギターを練習する。

   b. 日本はチップ*の習慣がない。　　　　　　　*tip

   c. 料理を習う。

2. a. 会議の時間を連絡する。

   b. 妻をパーティーに連れて行く。

   c. 連休は旅行に行く。

3. a. 雨の場合は、試合は中止になる。

   b. 駐車場はあそこにある。

   c. 工場を見学する。

4. a. 急におなかが痛くなった。

   b. 急行はこの駅に止まらない。

   c. 急げば、間に合う。

II. **タスク**：反対の意味のことばを書いてください。

1. 電車は ┃ 速い ┃ ↔ バスは ┃　　┃　　　働く　速い　忘れる

2. 名前を ┃　　┃ ↔ 名前を ┃ 忘れる ┃　　遅い　休む　覚える

3. 8時間 ┃　　┃ ↔ 1時間 ┃ 休む ┃

III. **まとめ**

1. 急に病気になる　→　┃ 急病 ┃ sudden illness

2. 急に用事ができる　→　┃ 急用 ┃ urgent business

解答　I. 1. c　2. b　3. a　4. c　II. 1. 遅い　2. 覚える　3. 働く

Ⅳ. タスク：同じ形がある漢字を書いてください。
<small>おな　かたち　　　かんじ　か</small>

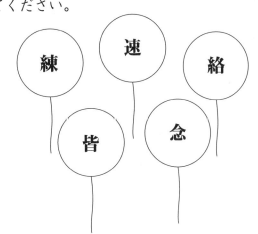

1. 運　遅　近　☐
2. 絵　経　☐
3. 忘　意　急　☐
4. 百　習　☐

練　速　絡　皆　念

Ⅴ. クイズ

1. 学生が**働く**ことを何と言いますか。

　　　　a．アルバイト　　b．**練習**　　c．残業<small>ざんぎょう</small>

2. 日本では火事の**場合**は、どこに**連絡**しますか。

　　　　a．１１０番　　b．１１９番　　c．１０４番

3. 歌を**練習する**のにいい場所はどこですか。

　　　　a．カラオケ　　b．図書館　　c．空港

4. 急行と特急とどちらが**速い**ですか。

　　　　a．急行　　b．特急　　c．同じ

5. あなたの国では、夜**遅く**一人で出かけても安全ですか。

　　　　a．安全　　b．少し危険　　c．とても危険

解答　Ⅳ．1．速　2．練　絡　3．念　4．皆　Ⅴ．1．a　2．b　3．a　4．b
<small>かいとう</small>
　　　5．？

I. | 辶 | 迎 | 速 | 連 | 遅 |
|---|---|---|---|---|
| | 499 | 500 | 503 | 505 |

1. ＿＿絡があったら、駅まで＿＿えに行ってください。
　（れん らく）（えき）（むか）（い）

2. ワープロが＿＿く打てます。
　（はや う）

3. もう約束の時間を過ぎましたよ。山田さん、＿＿いですね。
　（やくそく じかん す）（やま だ）（おそ）

II. | 竹 | 笑 | 答 | 符 | 箱 |
|---|---|---|---|---|
| | 446 | 447 | 448 | 449 |

1. 次の質問に＿＿えてください。
　（つぎ しつもん）（こた）

2. 赤ちゃんが＿＿っています。
　（あか）（わら）

3. 切＿＿を2枚買います。
　（きっ ぷ）（まい か）

4. この＿＿には何が入っていますか。
　（はこ）（なに はい）

III. | 糸 | 細 | 経 | 絡 | 練 |
|---|---|---|---|---|
| | 351 | 352 | 353 | 357 |

1. この辞書は＿＿かい字なので、読みにくいです。
　（じしょ）（こま じ）（よ）

2. 日本の＿＿済がこれからどうなるか、心配です。
　（に ほん）（けい ざい）（しんぱい）

3. ＿＿習に来られない人は、あしたまでに連＿＿してください。
　（れん しゅう こ）（ひと）（れん らく）

IV. 「ネ」ですか、「衤」ですか。書いてください。
　　　　　　　　　　　　　　　　　　（か）

1. ☐申 社　　　2. ☐刀 めて
　（じん じゃ）　　　（はじ）

解答　I. 1. 連、迎　2. 速　3. 遅　　II. 1. 答　2. 笑　3. 符　4. 箱
（かいとう）
　　　III. 1. 細　2. 経　3. 練、絡　　IV. 1. 神　2. 初

V. 「イ」ですか、「亻」ですか。書いてください。

1. 法 [律]
   ほう りつ

2. 文 [化]
   ぶん か

3. 3 [倍]
   ばい

4. [復]習する
   ふく しゅう

5. [役]に立つ
   やく た

6. [働]く
   はたら

VI. 「宀」がある字はどれですか。

1. 宿　今日は宿題がたくさんあります。
   きょう しゅくだい

2. 寒　寒い日が続いています。
   さむ ひ つづ

3. 字　わたしは字が下手です。
   じ へた

4. 覚　どうやって家まで帰ったか、覚えていません。
   いえ かえ おぼ

5. 堂　昼ご飯はいつも会社の食堂で食べます。
   ひる はん かいしゃ しょくどう た

6. 空　空が暗くなりました。今にも雨が降りそうです。
   そら くら いま あめ ふ

7. 定　予定がわかったら、すぐ知らせてください。
   よてい し

8. 写　旅行の写真を見せてください。
   りょこう しゃしん み

VII. 漢字を作ってください。

1. [正] + [攵]　どうすれば、日本の＿＿治がよくなるか、考えます。
   にほん せいじ かんが

2. [木] + [攵]　コピーが何＿＿要りますか。
   なん まい い

3. [扌] + [殳]　＿＿げたボールが川に落ちました。
   な かわ お

4. [亻] + [殳]　持って行ったセーターが＿＿に立ちました。
   も い やく た

解答　V. 1. 律　2. 化　3. 倍　4. 復　5. 役　6. 働
かいとう　VI. 1、2、3、6、7　VII. 1. 政　2. 枚　3. 投　4. 役

46 　薬 億 彼 洗 濯 乾 焼
_{416 266 269 284 291 373 324}

Ⅰ. 読み方

A 1. 薬　　　かぜの薬　　薬を飲みます
　（くすり）　　　　　　　　の

2. 億　　　一億二千万人　　四億年前　　百億円
　（おく）　　いち にせんまんにん　　よん ねんまえ　　ひゃく えん

3. 彼　　　彼はインド人です　　彼は学生です
　（かれ）　　　　　　じん　　　　　がくせい

4. 彼女　　彼女は山川さんの妹さんです
　（かのじょ）　　やまかわ　　いもうと

5. お手洗い　お手洗いはどちらですか
　（てあら）

6. 洗う　　手を洗います　　顔を洗います　　車を洗います
　（あら）　て　　　　　かお　　　　　くるま

7. 洗濯する　シャツを洗濯します　　下着を洗濯します
　（せんたく）　　　　　　　　　したぎ

8. 乾く　　洗濯物が乾きます　　空気が乾いています
　（かわ）　せんたくもの　　　　くうき

9. 焼く　　パンを焼きます　　焼いた魚が好きです
　（や）　　　　　　　　　さかな す

10. 焼ける　パンが焼けました　　火事で家が焼けました
　（や）　　　　　　　　　かじ いえ

11. 渡す　　田中さんにメモを渡します　　チケットを渡します
　（わた）　たなか

12. 渡る　　道を渡ります　　橋を渡ります
　（わた）　みち　　　　　はし

B 1. 具合　　体の具合　　パソコンの具合　　具合が悪いです
　（ぐあい）　からだ　　　　　　　　　　わる

2. 試合　　柔道の試合　　テニスの試合　　試合があります
　（しあい）　じゅうどう

3. 所　　　先生の所へ行きます　　スイッチはドアの所です
　（ところ）　せんせい い

4. 住所　　家の住所　　彼の住所　　住所と名前を書きます
　（じゅうしょ）　いえ　　　かれ　　　　なまえ か

5. 出席する　会議に出席します　　パーティーに出席します
　（しゅっせき）　かいぎ

Ⅱ. 使い方

1. かぜをひきましたが、薬は飲みません。⁺嫌いですから。
　　　　　　　　　　の　　　　　きら

2. 家を買いました。三億円でした。安かったです。
　いえ か　　　　　　　　　　やす

3. 彼と彼女は来年⁺結⁺婚するので、住む所を⁺探しています。
　　　　　　らいねん けっ こん　　　　す　　　さが

4．**彼**は会社の近くに住みたいと思っていますが、**彼女**は両親の家の近
くに住みたいと言っています。

5．**お手洗い**は階段の右です。

6．この下着は**洗濯**したばかりですから、まだ**乾いて**いません。

7．空気が**乾いて**いると、火事が起きやすいです。

8．**洗濯**物はクリーニング屋に持って行きます。**洗濯**機がありませんから。

9．火事で大切な絵が**焼けて**しまいました。

10．長い橋を**渡る**と、⁺関西空港です。

11．**彼女**にこの手紙を**渡して**ください。

12．足の具合がよくないので、テニスの**試合**に出られません。

13．先生は国際会議に**出席する**ので、今、⁺準⁺備で忙しいです。

Ⅲ．書き方

薬	一	艹	艹	苩	苩	葂	藍	藥	薬
億	亻	亿	亿	倅	倅	倍	億	億	億
彼	ノ	ク	彳	彴	彴	彶	彼	彼	
洗	丶	冫	氵	汁	沪	汁	洗	洗	洗
濯	氵	氵	氵	渭	渭	澀	澀	澀	濯
乾	十	古	古	吉	直	卓	乾	乾	乾
焼	丷	少	火	灯	灶	炒	烛	焼	焼
渡	氵	氵	氵	沪	沪	沪	沪	渡	渡

46 漢字博士

I. まとめ：いろいろな読み方
_よ _{かた}

*joint party

1. 合 ┬ 都合 　合コン*
_{つごう} 　_{ごう}
　├ 試合 　具合 　場合
　│ _{しあい} 　_{ぐあい} 　_{ばあい}
　└ 合う 　間に合う
　　 _あ 　　 _{ま　あ}

2. 洗 ┬ 洗濯する 　洗濯機 　洗濯物
　│ _{せんたく} 　　_{せんたく き} 　_{せんたくもの}
　└ 洗う 　お手洗い
　　 _{あら} 　　_{て あら}

II. タスク：同じ形を持つ漢字を書いてください。
_{おな　かたち　も　　かんじ　か}

億　　焼
洗

1. 泣　濯
　　□　渡

2. 住　作
　　□　倒

3. 火
　　□

漢字忍者

焼くとおいしいよ！

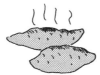

1. 焼き鳥
　 _{とり}
yakitori

2. 焼きいも

baked sweet potato

3. 焼き飯
　　 _{めし}
frizzled rice

4. 焼きそば

Chinese fried noodles

5. お好み焼き
　 _{この}
grilled pancake with meat and vegetables

6. たこ焼き

a type of grilled pancake with octopus

7. 目+玉焼き
　 _{め　だま}
fried eggs, sunny-side up

8. 卵焼き
　_{たまご}
omelet

解答　II. 1. 洗　　2. 億　　3. 焼
_{かいとう}

Ⅲ. 読み物

─── 1. 乾く ───

　ヨーロッパは日本より空気が**乾いて**いるので、**洗濯物**が**乾き**やすい。旅行中、夜、ホテルでシャツを**洗って**、掛けておくと、次の日にはもう**乾いて**いる。よく旅行する友達はいつも、**洗濯物**を掛けるために、ひもを持って行く。空気が**乾いて**いると、のども**乾いて**痛くなる。のどの**薬**とあめ*を持って行ったほうがいい。

*あめ candy

─── 2. 忘れ物 ───
わす　もの

　日本人が外国へ行ったとき、困るのはチップ*1 の習慣だ。初めて旅行したとき、ホテルに着いて、荷物を部屋まで運んでもらった。**彼女**も +僕ぼくも部屋がとてもすてきだったので、うれしくて、窓を開けたり、きれいな**お手洗い**を見たりしていた。ホテルの人がいろいろ説明してくれた。せつめい
+僕は親切な人だと思って聞いていた。少しあとで*2、彼は変な顔をして*3、行ってしまった。+僕も**彼女**も「どうして？」と考えた。そして気がついた。
「チップを**渡す**のを忘れた！」と。

*1 チップ tip　　*2 少しあとで a few minutes later　　*3 変な顔をして with a frown

47　祭　科　庭　報　性　歳　怖

480　346　489　377　300　432　301

Ⅰ. 読み方

A 1. お祭り　　雪祭り　　夏祭り　　お祭りが好きです
　　まつ　　ゆき　　なつ　　　　　　　　す

2. 科学　　科学の本　　科学者　　社会科学
　　かがく　　ほん　　しゃ　　しゃかい

3. 庭　　小さい庭　　庭で野菜を作ります
　　にわ　　ちい　　やさい　つく

4. 天気予報　　天気予報を聞きます　　天気予報を見ます
　　てんきよほう　　き　　み

5. 女性　　女性の声　　若い女性　　日本の女性
　　じょせい　　こえ　わか　　にほん

6. 男性　　男性の声　　若い男性　　中国の男性
　　だんせい　　こえ　わか　　ちゅうごく

7. 〜歳　　何歳ですか　　80歳です
　　さい　　なん

8. 怖い　　火事は怖いです　　あの先生は怖いです
　　こわ　　かじ　　せんせい

9. 吹く　　風が吹きます　　風が強く吹いています
　　ふ　　かぜ　　つよ

B 1. 人口　　日本の人口　　人口が多いです
　　じんこう　　にほん　　おお

2. 医学　　ドイツの医学　　医学を勉強します
　　いがく　　べんきょう

3. 文学　　日本文学　　中国文学　　アメリカの文学
　　ぶんがく　　にほん　　ちゅうごく

4. 集まる　　人が集まります　　10時に集まります
　　あつ　　ひと　　じ

5. 別れる　　妻と別れました　　駅で別れました
　　わか　　つま　　えき

Ⅱ. 使い方

1. ⁺札⁺幌の雪祭りは毎年2月に開かれます。
　　さっぽろ　ゆき　まいとし　がつ　ひら

2. 父はお祭りが好きです。夏になると、お祭りが多いので、うれしそう
　　ちち　　す　　なつ　　おお
です。

3. 夏の朝は庭で食事をします。小さい庭ですが、気持ちがいいです。
　　なつ　あさ　しょくじ　　ちい　　きも

4. 弟は科学が好きで、将来は科学者になりたいと言っています。
　　おとうと　　す　　しょうらい　　い

5. 天気予報によると、あしたは強い風が吹くそうです。
　　てんきよほう　　つよ　かぜ　ふ

6. 天気予報は見ません。⁺傘を持って歩くのが⁺嫌いですから。
　　み　　かさ　も　ある　きら

7. 昔は**女性**の仕事と**男性**の仕事は違いました。今は**女性**も**男性**も好き
な仕事ができるようになりました。

8. 100**歳**以上の**人口**が1万人になりました。

9. 娘は来年17**歳**になります。

10. 夜、一人で歩くのは**怖い**です。

11. 兄は**医学**を、弟は**文学**を勉強しています。

12. 10時にロビーに**集まって**ください。

13. 今日は卒業式です。友達と**別れる**のは+寂しいです。

14. 考え方の違いが+原+因で、妻と**別れ**ました。

Ⅲ．書き方

祭	ノ	ク	タ	ダ	ダヽ	祭	祭	祭	祭
科	ー	二	千	禾	禾	科	科	科	科
庭	ヽ	广	广	庐	庐	庭	庭	庭	庭
報	土	キ	キ	幸	幸	郣	郣	報	報
性	ヽ	ハ	忄	忄	忙	忡	性	性	
歳	ヽ	止	止	产	产	歳	歳	歳	歳
怖	ヽ	ハ	忄	忄	忙	怖	怖	怖	
吹	ー	口	口	口	吹	吹	吹		

Ⅰ. まとめ：いろいろな読み方
（よ　かた）

1. 男 ── 男性　　男女 *1　　男子 *2
　　　　　 （だんせい）（だんじょ）（だんし）
　　　　　 長男 *3　　次男 *4
　　　　　 （ちょうなん）（じなん）
　　　　　 男の子　　男の人
　　　　　 （おとこ　こ）（おとこ　ひと）

2. 女 ── 女性　　男女　　女子 *5　　長女 *6　　次女 *7
　　　　　 （じょせい）（だんじょ）（じょし）（ちょうじょ）（じじょ）
　　　　　 女の子　　女の人
　　　　　 （おんな　こ）（おんな　ひと）

3. 口 ── 人口
　　　　　 （じんこう）
　　　　　 口
　　　　　 （くち）
　　　　　 入口　　出口　　+非+常口　　+改+札口 *8　　中+央口 *9
　　　　　 （いりぐち）（でぐち）（ひじょうぐち）（かいさつぐち）（ちゅうおうぐち）

*1 man and woman

*2 boy, man

*3 first son

*4 second son

*5 girl, woman

*6 first daughter

*7 second daughter

*8 ticket barrier

*9 central gate

Ⅱ. タスク：同じ形を持つ漢字を書いてください。
（おな　かたち　も　かんじ　か）

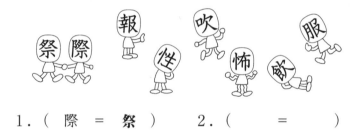

1. (際 ＝ 祭)　　2. (　　＝　　)

3. (　　＝　　)　　4. (　　＝　　)

Ⅲ. 読み物

──── 1. 田+舎 ────
　　　　　　　　　（いなか）

　1年に1回、**夏祭り**のとき、田+舎の両親の家に兄弟が**集まる**。田+舎
（りょうしん）
には90**歳**の父と85**歳**の母が2人で住んでいる。両親とわたしたち、兄
弟はお酒を飲んだり、話したりする。子どもたちは庭で花火をする。**別**
（はなび）
れるときは少し+寂しいが、また、来年みんなで**集まる**ことを約+束して、
（さび）　　　　　　　　　　　　　　　　　　　　　　（やくそく）
帰る。そしてまた**忙しい**生活に戻る。

解答　Ⅱ. 2. (報＝服)　　3. (性＝怖)　　4. (吹＝飲)
（かいとう）

―― 2．怖いこと ――

科学、医学の新しい+技+術で、赤ちゃんが生まれる前に、男か女か、
わかる。どんな病気で死ぬか、わかる。人と同じ知能*1を持つロボット*2
も作れる。人口を多くすることも、少なくすることもできる。
21世+紀*3はどんな世界になるか、考えると、ちょっと怖い。

*1 知能 intelligence　　*2 ロボット robot　　*3 21世紀 21st century

―― 3．女性と男性 ――

病気でことばが話せなくなる人がいるが、これは女性には少ない。イ
ギリスの科学雑誌によると、男性は話を聞くとき、+脳*1の左だけ使うが、
女性は左と右の両方を使う。そのため*2、女性は左の+脳に+傷がついても、
右の+脳が働くので、話すことができるそうだ。

*1 脳 brain　　*2 そのため therefore

漢字忍者

いろいろな+専+門

┌─ 人文科学 humanities ─┐
文学　　　　literature
心理学　　　psychology
言語学　　　linguistics
教育学　　　pedagogy
社会学　　　sociology
経済学　　　economics
法学　　　　law
政治学　　　politics

┌─ 自然科学 natural science ─┐
数学　　　　mathematics
物理学　　　physics
化学　　　　chemistry
生物学　　　biology
天文学　　　astronomy
地理学　　　geography
医学　　　　medicine
薬学　　　　pharmacology

48 徒 息 娘 留 君 忙 届
270 473 307 478 461 299 492

I. 読み方

A 1. 生徒
せいと
高校の生徒　　中学校の生徒
こうこう　　　ちゅうがっこう

2. 息子
むすこ
息子は学生です　　木村さんの息子さんは会社員です
がくせい　　　きむら　　　　　　　　かいしゃいん

3. 娘
むすめ
娘が3人います　　娘は医者です
にん　　　　　　　いしゃ

4. 留学生
りゅうがくせい
大阪大学の留学生です　　留学生が来ます
おおさかだいがく　　　　　　　　き

5. 君
きみ
君の本　　君の車　　君の住所　　君の電話番号
ほん　　くるま　　じゅうしょ　　でんわばんごう

6. ～君
くん
田中君、いますか
たなか

7. 忙しい
いそが
社長は忙しいです　　仕事が忙しいです
しゃちょう　　　　　しごと

8. 届ける
とど
荷物を届けます　　空港まで届けてくれます
にもつ　　　　　　くうこう

9. 遊ぶ
あそ
子どもと遊びます　　庭で遊びます
こ　　　　　　　　にわ

10. 久しぶり
ひさ
久しぶりですね

B 1. 説明する
せつめい
試験について説明します　　旅行の予定を説明します
しけん　　　　　　　　　　りょこう　よてい

2. 世話をする
せわ
留学生の世話をします　　病気の人の世話をします
りゅうがくせい　　　　　びょうき　ひと

3. 自由に
じゆう
自由に話します　　けがで手が自由に動きません
はな　　　　　　て　　じゆう　うご

II. 使い方

1. 北川君と東山君は同じ高校の生徒です。
きたがわ　ひがしやま　おな　こうこう

2. 部長の息子さんは中国へ留学しています。
ぶちょう　　　　　　ちゅうごく　りゅうがく

3. 妻は娘を結婚させたいと思っていますが、娘は、仕事が恋人です。
つま　　けっこん　　　　おも　　　　　　しごと　こいびと

4. カリナさんは留学生のスピーチコンテストで1位になりました。
い

5. ミラー君、このファイルを部長に届けてください。
ぶちょう

6. 勉強が忙しくて、遊ぶ時間はありません。
べんきょう　　　　あそ　じかん

7. 仕事がおもしろいので、忙しくても楽しい毎日です。
しごと　　　　　　　　　　たの　まいにち

8. 荷物は先に空港に届けてもらいましたから、何も持たないで行けます。
にもつ　さき　くうこう　　　　　　　　　　なに　も　　　い

9．国の友達に会うのは**久**しぶりです。

10．今月は毎日**忙**しかったです。休みは**久**しぶりです。

11．銀行の人が機械の使い方を**説明**してくれました。

12．**説明書**を読んでも、使い方がわかりません。

13．**留学生**のミンさんはうちで⁺馬の**世話**をしていたそうです。

14．大学では**自由**にパソコンを使うことができます。

15．1億円を**自由**に使うのがわたしの夢です。

Ⅲ．書き方

徒	ノ	ク	彳	彳	行	徉	徒	徒	徒
息	′	′	自	自	自	自	息	息	息
娘	く	タ	女	女	妒	妒	娘	娘	娘
留	′	′	⺈	幻	卯	留	留	留	留
君	フ	⺕	ヨ	尹	尹	君	君		
忙	′	′	↑	忄	忙	忙			
届	フ	コ	尸	尸	尼	届	届	届	
遊	⺊	ナ	方	扩	放	放	斿	游	遊
久	ノ	ク	久						

I. タスク：漢字を作ってください。
かんじ つく

1. 月曜日は ┌─────┐ しい 。
   げつようび │ いそが │

2. ┌─────┐ 子 は中国に留学している。
   │ むすこ │ ちゅうごく りゅうがく

3. ここは中学校の ┌─────┐ 生 が通る道です。
   ちゅうがっこう │ 生 │ せい と とお みち

4. これは ┌───┐ 娘 が作ったケーキです。
   │ 娘 │ むすめ つく

II. タスク：正しい発音を選んでください。
ただ はつおん えら

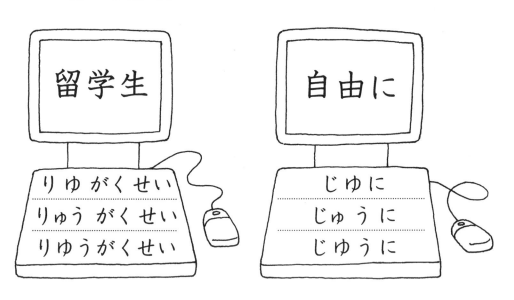

留学生
りゆがくせい
りゅうがくせい
りゅがくせい

自由に
じゆに
じゅうに
じゆうに

解答 I. 1. 忙 2. 息 3. 徒 II. 1. りゅうがくせい 2. じゆうに
かいとう

Ⅲ. 読み物

— 1. 留学生の手紙 —

　田中さん、お元気ですか。日本ではお世話になりました。国へ帰って、もう6か月過ぎました。日本語で手紙を書くのは**久しぶり**です。

　今、わたしは国のコンピューターの会社で働いています。仕事は**忙し**いですが、とても楽しいです。新入社員*も**自由に**仕事ができます。**忙しくても**、自分の時間も大切にしたいので、この間、休みを取って、バリ島へ**遊び**に行って来ました。バリでおもしろいデザインのシャツを買いました。今度日本へ行く友達に頼んで、田中さんに**届けて**もらいます。

　では、皆さんお元気で。さようなら。

タン

*新入社員 new employee

— 2. 田中さんの手紙 —

　タン君　お手紙ありがとう。**君**から手紙をもらって、**君**がいたときのことを思い出しました。**息子**や**娘**といっしょに**遊び**に行ったディズニーランドのこと、病気のとき、**説明**できなくて、困ったことなど、いろいろありました。また文化の違いについてよく話したことも忘れられません。何を買うか、休みにどこへ行くか、うちのことは何でも妻が決めるので、**君**はびっくりしていましたね。**君**が**君**のお父さんにこのことを話したとき、お父さんは「この話はお母さんにしないで」と言ったそうですね。あとで聞いて、みんなで笑いました。また日本へ来るチャンスがあったら、連絡してください。ではまた。

田中

49 灰 貿 存 階 様 召 寄
485 484 491 297 330 459 427

I. 読み方

A 1. 灰皿 　　ガラスの灰皿　　灰皿がありますか
　　　はいざら

2. 貿易 　　貿易会社　　貿易をします
　　ぼうえき　　　がいしゃ

3. ご存じ 　　田中さんをご存じですか
　　　ぞん　　　たなか

4. ～階 　　1階　　2階　　何階
　　かい／がい　　　　　　　　　　なん

5. ～様 　　田中様　　お客様　　奥様
　　さま　　たなか　　　きゃく　　おく

6. 召し上がる 　　お食事を召し上がります　　お酒を召し上がります
　　め　あ　　　しょくじ　　　　　　　　さけ

7. 寄る 　　花屋に寄ります　　スーパーに寄ります
　　よ　　　はなや

8. 疲れる 　　目が疲れました　　お疲れさまでした
　　つか　　　め

9. 勤める 　　貿易会社に勤めています　　20年勤めました
　　つと　　　ぼうえきがいしゃ　　　　　　ねん

10. 泊まる 　　ホテルに泊まります　　友達のうちに泊まります
　　と　　　　　　　　　　　ともだち

B 1. 会場 　　入学式の会場　　パーティー会場
　　かいじょう　　にゅうがくしき

2. 旅館 　　古い旅館　　安い旅館　　旅館に泊まります
　　りょかん　　ふる　　　やす　　　　　　と

3. 帰りに 　　帰りにスーパーに寄ります
　　かえ　　　　　　　　　よ

II. 使い方

1. ここは⁺禁⁺煙なので、灰皿はありません。
　　　　きん えん

2. 父が貿易会社に勤めていたので、わたしはタイで生まれました。
　　ちち　　がいしゃ　　　　　　　　　　　　う

3. 姉はおもちゃの貿易の仕事をしています。
　　あね　　　　　　　　しごと

4. 奥様によろしくお伝えください。
　　おく　　　　　　つた

5. 田中様があちらでお待ちになっています。
　　たなか　　　　　　　ま

6. 駐車場は地下2階です。
　　ちゅうしゃじょう　ちか　か

7. 60階のレストランで食事をしました。
　　　　　　　　　しょくじ

8. 小川さんが転勤されたことをご存じですか。
　　おがわ　　てんきん

疲　勤　泊
494　381　275

9. 奥様はお酒を召し上がりません。ジュースを用意してください。

10. 勉強すると、すぐ疲れますが、遊ぶときは疲れません。

11. 弟は3か月勤めて、会社をやめてしまいました。

12. 日本へ行ったら、旅館に泊まってみたいです。

13. 急に歯が痛くなったので、会社の帰りに歯医者へ行きました。
　　でも、休みでした。

14. ドイツ出＋張の帰りにウイーンに寄って、音楽を聞いて来ました。

Ⅲ. 書き方

灰	一	厂	厂	厂	灰	灰			
貿	′	⺈	⺌	𢨄	卯	𠤏	留	貿	貿
存	一	ナ	ナ	ナ	存	存			
階	′	⻖	⻖	阝	阝	阶	陟	階	階
様	木	木	栉	栏	栏	样	样	様	様
召	フ	刀	刀	召	召				
寄	宀	宀	宇	宝	宝	宫	寄	寄	寄
疲	亠	广	广	疒	疒	疒	疗	疲	疲
勤	一	艹	艹	苫	苗	革	菫	勤	勤
泊	ヽ	⺀	氵	氵	汋	泊	泊	泊	

49 漢字博士

Ⅰ. タスク：漢字を作ってください。

1. 广　2. 寄　3. 木　4. 衤　5. 刀

奇　兼　子　口　皮

Ⅱ. 読み物

1. 三宅島*¹＋噴火*²

毎朝新聞　二〇〇〇年九月三日

火山*³の＋噴火が続いている三宅島の人は危険なので、ほとんど全部の人が島を出なければならなくなった。2日午後、大きな荷物や犬、鳥といっしょに、船に乗って、東京へ向かった。

島で**旅館**をして*⁴いる石田のり子さんは、迎えに来た娘と会うのは久しぶりなので、まりさんの家に**泊まる**予定だったが、島のニュースが早く聞ける所にいたいので、船に**泊まる**そうだ。

島に残っているのは役場*⁵の人、消＋防*⁶の人、警＋察の人とマスコミ*⁷の人だけで、みんな、夜は船に**泊まる**。島の人は**疲れた**様子だった。

*¹ 三宅島 Miyake-jima　*² 噴火 eruption　*³ 火山 volcano　*⁴ 旅館をする run a hotel
*⁵ 役場 town office　*⁶ 消防 fire brigade　*⁷ マスコミ mass media

解答　Ⅰ. 1. 疲　3. 様　4. 存　5. 召

本日*1のご予定

花屋旅館

山田様、森様　ご+結+婚式+披+露+宴*2 会場	一階	さくらの間*3
東西貿易+技+術部*4 様	二階	きくの間*5
さくら大学小川研究室様	三階	ゆりの間*6
緑中学同窓会*7 様	四階	うめの間*8

*1 本日 today　　*2 披露宴 wedding reception　　*3 さくらの間 cherry room

*4 技術部 technical department　　*5 きくの間 chrysanthemum room　　*6 ゆりの間 lily room

*7 同窓会 reunion party　　*8 うめの間 plum room

漢字忍者

場

1. 会場 convention hall
2. 駐車場 parking lot
3. 運動場 playground
4. 式場 ceremonial hall
5. 練習場 training place
6. スキー場 skiing ground
7. ゴルフ場 golf links
8. 国際会議場 international assembly hall
9. 道場 training hall (judo school, karate school)

10. タクシー乗り場 taxi stand
11. 遊び場 playground
12. 洗い場 dish washing place
13. 売り場 selling place
14. ごみ置き場 dump yard
15. 踊り場 landing
16. 酒場 bar

50 宅 段 両 私 郊 放 拝
423 391 238 345 384 338 317

Ⅰ. 読み方

A 1. お宅 （たく）　　部長のお宅 （ぶちょう）　　田中さんのお宅 （たなか）

2. 階段 （かいだん）　　石の階段 （いし）　　長い階段 （なが）

3. 両親 （りょうしん）　　わたしの両親　　ご両親　　両親は元気です （げんき）

4. 私 （わたくし）　　私の意見 （いけん）　　私はミラーと申します （もう）

5. 郊外 （こうがい）　　静かな郊外 （しず）　　東京の郊外 （とうきょう）　　郊外に住んでいます （す）

6. 放送する （ほうそう）　　ニュースを放送します　　テレビで放送します

7. 拝見する （はいけん）　　切符を拝見します （きっぷ）　　社長の部屋を拝見しました （しゃちょう）（へや）

8. 参る （まい）　　私が参ります （わたくし）　　あした3時に参ります （じ）

9. 伺う （うかが）　　私が伺います （わたくし）　　あした3時に伺います （じ）

10. 申す （もう）　　ミラーと申します　　田中と申します （たなか）

B 1. 心 （こころ）　　子どもの心 （こ）　　人の心 （ひと）　　心が優しいです （やさ）

2. さ来月 （らいげつ）　　さ来月、子どもが生まれます （こ）（う）

3. 最初に （さいしょ）　　最初にワインを飲みます （の）　　最初に発音を練習します （はつおん）（れんしゅう）

4. 最後に （さいご）　　最後にコーヒーを飲みます （の）　　最後に試験があります （しけん）

Ⅱ. 使い方

1. きのう先生のお宅へ伺いました。郊外の静かな所でした。 （せんせい）（しず）（ところ）

2. 部長が入院なさったと伺いましたが、ほんとうですか。 （ぶちょう）（にゅういん）

　…ええ、駅の階段から落ちて、足にけがをされたそうです。 （えき）（お）（あし）

3. 長い石の階段を登って、屋上に出ると、海が見えます。 （なが）（いし）（のぼ）（おくじょう）（で）（うみ）（み）

4. 妻の両親といっしょに住んでいます。 （つま）（す）

5. 東京でも、郊外は静かです。 （とうきょう）（しず）

6. 今日は**私**の留学経験をお話ししたいと思います。

7. 山火事の様子がテレビで**放送され**ました。

8. 大＋江先生がお書きになった本を**拝見**しました。

9. 国から**両親**が**参り**ますので、休ませていただけませんか。

10. **私**、ミラーと**申し**ますが、松本部長はいらっしゃいますか。

11. **心**が優しい人が好きです。

12. **最初**にスピーチをするのはお世話になった大学の先生です。

13. 式の**最後**に**両親**に花を贈ります。

14. 来月は無理です。**さ来月**にしてください。

Ⅲ. 書き方

宅	'	'	'	宀	宇	宅	宅		
段	'	'	'	'	'	'	'	段	段
両	一	厂	冂	币	両	両			
私	'	二	千	千	禾	私	私		
郊	'	亠	六	六	交	交	郊	郊	
放	'	亠	方	方	扩	扩	放	放	
拝	一	寸	扌	扩	护	拝	拝	拝	
参	'	ム	二	乒	矣	叅	参	参	
伺	ノ	イ	行	伺	伺	伺	伺		
申	'	口	口	日	申				

50 漢字博士

I. タスク： □ 左の形が違う漢字はどれですか。

1. a. 私　b. 郊　c. 秋　d. 利

2. a. 放　b. 段　c. 旅

3. a. 拝　b. 払　c. 持　d. 伺　e. 投

II. 読み物

――― お宅拝見 ―――

　皆様こんにちは。MHK、社長の**お宅拝見**の時間です。今日は東西貿易の南社長の**お宅**を**拝見**します。

　ここは、東京の**郊外**の静かな町です。緑も多くて、空気もいい所です。あ、あそこです。建築家のピアノ氏[*1]が⁺設計した３階建て[*2]のすてきなお宅です。⁺周りの緑とよく合っていますね。雑誌にも⁺紹⁺介されたことがあるそうですよ。さあ、行ってみましょう。

　「**私**、MHKの北川と**申**します。テレビ**放送**のために、**参りました**。」社長は90歳のお父様と87歳のお母様とごいっしょに住んでいらっしゃいます。それで、**ご両親**のために住みやすい家の⁺設計を、ピアノ氏に頼まれたそうです。車いす[*3]でも動けるように、バリアフリー[*4]にしてあります。ドアも大きいですね。**階段**には電気で動くいすがあります。このいすに座って、スイッチを入れれば、**２階**へ上がれるんですね。あ、ちょうど、社長のお母様がいらっしゃいました。ちょっと、お話を**伺**ってみましょう。「すてきな**お宅**ですね。いかがですか。」「おかげさまで、毎日自由に動けて、家族といっしょにいられるのがうれしいです。家族に**心**から⁺感⁺謝しております。」

解答　I. 1. b　2. b　3. d

今日の社長の**お宅拝見**、いかがでしたか。

最後に、**私**、レポーター^{*5}のひとこと。

「わたしも、まず、息子を社長にしないと！」

*¹ ピアノ氏 Mr. Piano　　*² 3 階建て 3 storied house　　*³ 車いす wheelchair
*⁴ バリアフリー barrier free　　*⁵ レポーター reporter

漢字忍者

タスク：同じ読み方の漢字はどれですか。同じ形はどれですか。

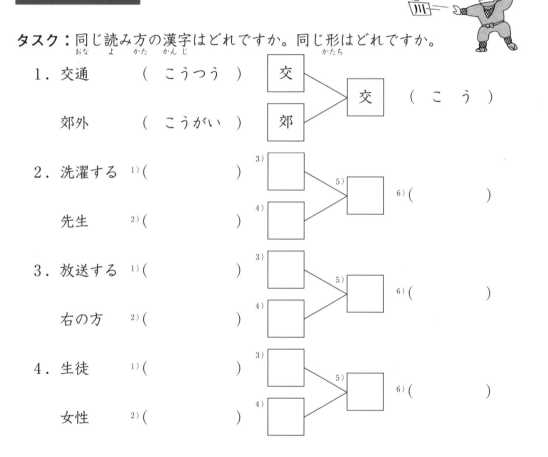

1. 交通 　　（ こうつう ）　　交／郊 → 交 （ こう ）

   郊外 　　（ こうがい ）

2. 洗濯する ¹⁾（ 　　 ）　³⁾☐ ⁴⁾☐ → ⁵⁾☐ ⁶⁾（ 　　 ）

   先生 　　²⁾（ 　　 ）

3. 放送する ¹⁾（ 　　 ）　³⁾☐ ⁴⁾☐ → ⁵⁾☐ ⁶⁾（ 　　 ）

   右の方 　²⁾（ 　　 ）

4. 生徒 　　¹⁾（ 　　 ）　³⁾☐ ⁴⁾☐ → ⁵⁾☐ ⁶⁾（ 　　 ）

   女性 　　²⁾（ 　　 ）

解答　2. 1) せんたくする　2) せんせい　3) 洗　4) 先　5) 先　6) せん
　　　3. 1) ほうそうする　2) みぎのほう　3) 放　4) 方　5) 方　6) ほう
　　　4. 1) せいと　2) じょせい　3) 生　4) 性　5) 生　6) せい

Ⅰ. ｼ | 泊 泣 沸 洗 涼 済 渡 濯
275 276 278 284 286 287 288 291

1. 日本の経＿＿はこれからどうなるのでしょうか。
　（にほん）（けいざい）

2. お湯が＿＿きました。お茶をいれましょう。
　（ゆ）（わ）（ちゃ）

3. ＿＿しくなりましたね。もう秋ですね。
　（すず）（あき）

4. いい映画でした。＿＿いてしまいました。
　（えいが）（な）

5. 今日はいい天気ですから、＿＿＿＿をしましょう。
　（きょう）（てんき）（せんたく）

6. 昔、この川を歩いて＿＿ったそうです。大変だったでしょうね。
　（むかし）（かわ）（ある）（わた）（たいへん）

7. ＿＿まるホテルは予約してありますか。
　（と）（よやく）

Ⅱ. ｻ | 若 菓 菜 薄 薬
408 410 411 415 416

1. 野＿＿は体にいいです。
　（や さい）（からだ）

2. A：＿＿い先生ですね。B：ええ、大学を卒業したばかりだそうです。
　（わか）（せんせい）（だいがく）（そつぎょう）

3. 味が＿＿いですね。もう少し塩を入れましょう。
　（あじ）（うす）（すこ）（しお）（い）

4. ＿＿を飲んでいるのに、病気が治りません。
　（くすり）（の）（びょうき）（なお）

Ⅲ. 貝 | 負 質 貿
405 450 484

1. 日本が＿＿けたと聞いて、がっかりしました。
　（にほん）（ま）（き）

2. わたしの会社はイギリスと＿＿易をしています。
　（かいしゃ）（ぼう えき）

3. ＿＿問に答えてください。
　（しつ もん）（こた）

解答　Ⅰ. 1. 済　2. 沸　3. 涼　4. 泣　5. 洗濯　6. 渡　7. 泊
（かいとう）　Ⅱ. 1. 菜　2. 若　3. 薄　4. 薬　Ⅲ. 1. 負　2. 貿　3. 質

Ⅳ．漢字を作ってください。

1. 厂 ＋ 昊 　漢字のカードを作ります。＿＿い紙が要ります。
（かんじ）（つく）（あつ）（かみ）（い）

2. 广 ＋ 坐 　このいすに＿＿ってもいいですか。
（すわ）

3. 广 ＋ 带 　ミラーさんは今、＿＿を外しています。
（いま）（せき）（はず）

4. 广 ＋ 替 　食事の後で、歯を＿＿きます。
（しょくじ）（あと）（は）（みが）

5. 广 ＋ 廷 　＿＿で子どもが遊んでいます。いい天気です。
（にわ）（こ）（あそ）（てんき）

6. 疒 ＋ 皮 　＿＿れましたね。ちょっと休みましょう。
（つか）（やす）

7. 疒 ＋ 甬 　頭が＿＿いです。今から病院へ行って来ます。
（あたま）（いた）（いま）（びょういん）（い）（き）

Ⅴ．形が違いますが、同じ意味の部品です。下のことばの中から見つけてください。
（かたち）（ちが）（おな）（いみ）（ぶひん）（した）（なか）（み）

1. 心 と 忄

心　　忘れる　　残念　　息子　　怖い　　忙しい　　男性
（こころ）（わす）（ざんねん）（むすこ）（こわ）（いそが）（だんせい）

2. 火 と 灬

火　　焼く　　黒い　　熱い　　無理な　　点
（ひ）（や）（くろ）（あつ）（むり）（てん）

3. 衣 と 衤

＋衣*1　　袋　　～製　　初めて　　　　　　　　*1 clothes
（ころも）（ふくろ）（せい）（はじ）

4. 刀（刀）と 刂

＋刀*2　　分ける　　切る　　初めて　　　　　　　*2 sword
（かたな）（わ）（き）（はじ）

召し上がる　　便利な　　特別な
（め）（あ）（べんり）（とくべつ）

解答　Ⅳ．1．厚　2．座　3．席　4．磨　5．庭　6．疲　7．痛
（かいとう）

I ．＿＿＿＿の読み方を書いてください。

1．何か意見はありませんか。
　　　なに

2．体に気をつけてください。
　　　からだ

3．雨の日は暗いです。
　　あめ　　　　くら

4．きれいな字ですね。

5．社長はいらっしゃいますか。

6．国を思い出します。
　　くに

7．食事に行きませんか。
　　　　　　　い

II ．漢字で書いてください。

1．□りる
　　た

2．□□な
　　たい せつ

Ⅰ. ＿＿＿の読み方を書いてください。
　　　　　　よ　かた　か

1. あした、試験があります。

2. 何か問題がありますか。
　　なに

3. 答えがわかりません。

4. 車が2台あります。
　　くるま

5. パーティーを始めましょう。

6. 切手を集めています。
　　きって

7. 今日は用事がありますから、早く帰りたいです。
　　きょう　　　　　　　　　　　　　はや　かえ

Ⅱ. 漢字で書いてください。
　　かんじ　か

1. ☐める
　　あつ

2. ☐☐する
　　けん きゅう

I. ＿＿＿＿の読み方を書いてください。

1. 何時に昼ご飯を食べますか。

2. お正月は楽しいです。

3. 世界を旅行したいです。

4. 時間がありませんから、急いでください。

5. 洋服を買います。

6. 駅から遠いですから、不便です。

7. 日本料理の中で特にてんぷらが好きです。

II. 漢字で書いてください。

1. 売り □
　　う　　ば

2. □□
　　とっ きゅう

Ⅰ．＿＿＿＿の読み方を書いてください。

1．会議に遅れました。

2．日本語の辞書の使い方を教えてください。

3．駐車場に車を止めました。

4．日曜日は柔道をします。

5．デパートで帽子を買いました。

6．ふろに湯を入れます。

Ⅱ．漢字で書いてください。

1．☐
　　え

2．☐い
　　とお

3．☐しい
　　ほ

Ⅰ. _____の読み方を書いてください。
　　よ　かた　か

　1．景色がいいです。

　2．教室で日本語を勉強している夢を見ました。
　　　きょうしつ　　にほんご　　べんきょう　　　　　　み

　3．いすに座ります。

　4．台所で料理を作ります。
　　　　　　　りょうり　つく

　5．昔の道具が役に立ちます。

Ⅱ. 漢字で書いてください。
　　かんじ　か

　1． ☐
　　　こえ

　2． ☐ぐ
　　　およ

　3． ☐る
　　　はし

Ⅰ.＿＿＿＿の読み方を書いてください。

1. アメリカと日本では習慣が違います。

2. きのう、日本の小説を読みました。

3. 日本でいろいろな仕事を経験しました。

4. 将来は医者になりたいです。

5. 自転車で学校に通います。

6. 田中先生は優しくて、熱心な先生です。

Ⅱ. 漢字で書いてください。

1. ☐
　　かたち

2. ☐ い
　　ねむ

3. ☐
　　ちから

Ⅰ.＿＿＿＿の読み方を書いてください。
　　　　よ　かた　か

　1．テープを全部聞きました。
　　　　　　　ぜんぶ き

　2．近くの喫茶店でお茶を飲みます。
　　　ちか　　きっさてん　　ちゃ　の

　3．この辺に神社はありませんか。
　　　　へん　じんじゃ

　4．教室に忘れ物がありました。
　　　きょうしつ　わす もの

　5．妻と映画に行きます。
　　　つま　えいが　い

　6．人は右側を歩きます。
　　　ひと　みぎがわ　ある

Ⅱ.漢字で書いてください。
　　かんじ　か

　1．[　]とす
　　　お

　2．[　]える
　　　き

　3．[　]れる
　　　よご

Ⅰ. _____の読み方を書いてください。
　　　　　よ　かた　か

1. 漢字を復習します。
　　かん じ　　_____

2. 壁に絵を掛けます。
　　かべ　え　　_____

3. 飛行機のチケットを予約します。
　　ひ こう き　　　　　　　_____

4. 机の引き出しの中に彼女の写真があります。
　　__　_____　なか　かのじょ　しゃしん

5. お皿の横にフォークを置きます。
　　___　よこ　　　　　　___

Ⅱ. 漢字で書いてください。
　　かん じ　か

1. ☐ たい
　　つめ

2. ☐☐
　　よ　てい

Ⅰ．＿＿＿＿の読み方を書いてください。

1．飛行機が空港に着きます。

2．会社の事務所に残って、仕事をします。

3．あした、動物園へ家族を連れて行きます。

4．来月、大学の卒業式があります。

Ⅱ．漢字で書いてください。

1．□ける
　　う

2．作□
　　さく　ぶん

3．□通
　　ふ　つう

I．＿＿＿＿の読み方を書いてください。

1．今日は風が強いです。

2．冷たい牛乳が飲みたいです。

3．かぜがなかなか治りません。

4．3時ごろ、戻ります。

5．今夜は、雪が降るかもしれません。

6．最近、とても忙しいです。

II．漢字で書いてください。

1．□
　　そら

2．□く
　　つづ

3．□
　　ほし

Ⅰ．＿＿＿＿の読み方を書いてください。
_{よ　かた　か}

1．入口を入ると、受付があります。
　　　　はい

2．荷物、持ちましょうか。
　　　　　も

3．1つ目の角を左へ曲がってください。
　ひと　め　　　ひだり

4．ここで、たばこを吸わないでください。

5．1週間以内に返してくださいね。
　　しゅうかん　　　　かえ

Ⅱ．漢字で書いてください。
　かんじ　か

1．☐える
　　つた

2．☐
　　せき

3．☐げる
　　な

Ⅰ. _____の読み方を書いてください。
　　　　　よ かた か

1. 何か、甘い物が食べたいです。
　　なに　　　　もの　た

2. 今日は用事がありますから、先に帰ります。
　　きょう　ようじ　　　　　　　　　かえ

3. いい薬は苦いです。
　　　くすり

4. ご飯を食べたら、すぐ歯を磨きましょう。
　　はん　た　　　　　　は

5. ちょっと、手伝っていただけませんか。

6. 次の駅で乗り換えてください。
　　つぎ　えき

7. 塩はあまり入れないでください。
　　　　　　い

Ⅱ. 漢字で書いてください。
　　かんじ　か

1. ☐い
　　から

2. ☐い
　　ほそ

3. 110 ☐
　　　　ばん

I.　＿＿＿の読み方を書いてください。

1. 冬休みは南の島へ遊びに行きます。

2. ここは緑が多くて、いいですね。

3. ごみを拾って、ごみ箱に捨ててください。

4. うちの近所においしいパン屋があります。

5. 4月から、仕事が変わります。

6. 正しい答えはどれですか。

II.　漢字で書いてください。

1. ☐
　　むら

2. ☐しい
　　めずら

3. ☐こう
　　む

I. ＿＿＿＿の読み方を書いてください。

1. 歯医者へ行かなければなりません。

2. 野菜をたくさん食べましょう。

3. 今日は特別な日です。

4. 水泳を習っています。

5. もう新しい生活に慣れましたか。

6. 必ず、10時までに来てください。

7. わたしたちの先生は若いです。

II. 漢字で書いてください。

1. ☐ぎる
　　す

2. ☐い
　　ふと

3. ☐
　　みみ

Ⅰ．＿＿＿＿の読み方を書いてください。

1．船で旅行したいです。

2．友達をパーティーに招待します。

3．山田さんに仕事を頼みました。

4．危ないですから、機械に触らないでください。

5．会議はこの部屋で行います。

6．電気を消してください。

7．日本から世界中の国へ車を輸出しています。

Ⅱ．漢字で書いてください。

1．□ぶ
　　　よ

2．□
　　　てら

3．□
　　　こめ

名前

I. _____の読み方を書いてください。
　　　　よ　かた　か

　1. 海岸を散歩します。

　2. この問題は易しいです。
　　　　　もんだい

　3. 橋ができました。

　4. このノートは1冊150円です。
　　　　　　　　　　　　えん

　5. このシャツは中国製です。
　　　　　　　　ちゅうごく

　6. 無理なダイエットは体に悪いです。
　　　　　　　　　　　　　からだ　わる

II. 漢字で書いてください。
　　かんじ　か

　1. ☐
　　　えだ

　2. ☐
　　　たまご

　3. ☐しい
　　　むずか

Ⅰ. ＿＿＿＿の読み方を書いてください。

1. 地震で人が 6,000 人死にました。

2. 困ったなあ。

3. 質問に答えられなくて、恥ずかしかったです。

4. ここに並んでください。

5. 友達が大勢います。

Ⅱ. 漢字で書いてください。

1. 電話 ☐
　　でん わ　だい

2. ☐ ぬ
　　し

3. ☐ い
　　せま

I．＿＿＿＿の読み方を書いてください。
よ　かた　か

1．土曜日はちょっと都合が悪いです。
どようび　　　　　　　わる

2．この紙、どちらが表ですか。
かみ

3．あしたの朝、8時に出発します。
あさ　じ

4．このりんごは1個150円です。
えん

5．ビザは必要ですか。

6．夏休みの予定を考えます。
なつやす　　　　　　かんが

7．初めて、すしを食べました。
た

II．漢字で書いてください。
かんじ　か

1．間に□う
ま　あ

2．□□な
き　けん

I. ＿＿＿＿の読み方を書いてください。

1. タイのお菓子をもらいました。

2. 病院へお見舞いに行きます。

3. 旅行に行ったら、お土産を買います。

4. 秋は果物がおいしいです。

5. 赤い靴が欲しいです。

6. 祖母は料理が好きです。

7. どこかに手袋を忘れてしまいました。

II. 漢字で書いてください。

1. お☐い
（いわ）

2. ☐り☐える
（と）（か）

Ⅰ. ＿＿＿＿の読み方を書いてください。

1. 経済の本は難しいです。

2. 友達と政治について話します。

3. 法律を作ります。

4. 国際電話をかけます。

5. もう少し厚い紙はありませんか。

6. ふろを沸かします。

7. 文化や習慣が違っても、みんな友達です。

Ⅱ. 漢字で書いてください。

1. ☐
　　いし

2. ☐い
　　うす

3. ☐む
　　つつ

Ⅰ. ＿＿＿＿の読み方を書いてください。
よ　かた　か

1. 20 枚コピーしてください。
　　　まい

2. 暑い日は冷たいビールがおいしいです。
　　ひ　　つめ

3. 今年の冬は寒いです。
　ことし　ふゆ　さむ

4. 部屋の中は暖かいです。
　へや　なか　あたた

5. 切符を買います。
　きっぷ　か

6. 赤い花が咲いています。
　あか　はな　さ

7. 駅まで友達を迎えに行きます。
　えき　ともだち　むか　い

Ⅱ. 漢字で書いてください。
　かんじ　か

1. ☐う
　はら

2. ☐える
　ふ

3. ☐しい
　すず

Ⅰ. _____の読み方を書いてください。

1. 最近、父の髪が白くなりました。
   さいきん　ちち　──　しろ

2. 帽子をかぶっていたので、顔がよく見えませんでした。
   ぼうし　　　　　　　　　　　　　　──　　　　み

3. 写真のサイズを2倍にしてください。
   しゃしん　　　　　　　　──

4. クラスを休むときは、理由を言って、先生の許可をもらってください。
   　　　　やす　　　　　　──　い　　　せんせい　きょか

5. 布団は押し入れに入っています。
   ふとん　──　　　　　はい

6. 細かいお金がなかったので、バスで困りました。
   ──　　かね　　　　　　　　　　　　こま

7. 子どもの安全のために、毎日、学校へ送って行きます。
   こ　　　──　　　　　　まいにち　がっこう　おく　い

Ⅱ. 漢字で書いてください。
   かんじ　か

1. ☐ い
   いた

2. ☐ く
   な

3. ☐ 気
   くう

Ⅰ. ＿＿＿の読み方を書いてください。

1. 残念ですが、雨でテニスの試合を中止します。

2. 弟は走るのが速いです。

3. もうクリスマスの贈り物を用意しました。

4. 兄は病院で働いています。

5. 試験の点が悪くて、がっかりしました。

6. テニスの練習は5時からです。

Ⅱ. 漢字で書いてください。

1. ☐える
   おぼ

2. ☐さん
   みな

3. ☐い
   おそ

I. _____の読み方を書いてください。

1. 父は洗濯するのが好きです。

2. サッカーの試合を見に行きます。

3. 先生は留学生の国際会議に出席します。

4. このメモを田中さんに渡してください。

5. 最近、パソコンの具合が悪いです。

6. お手洗いはどちらですか。

7. スイッチはドアの所です。

II. 漢字で書いてください。

1. ☐く
　　かわ

2. ☐く
　　や

3. ☐
　　くすり

I．_____の読み方を書いてください。

1．京都のお祭りを見に行きます。

2．科学の本を読みました。

3．天気予報によると、午後から雪が降るそうです。

4．駅で彼女と別れました。

5．弟は医学を勉強しています。

6．30歳になったら、自分の会社を作ります。

7．10時にロビーに集まってください。

Ⅱ．漢字で書いてください。

1．風が ☐ く
　　かぜ　ふ

2．女 ☐
　　じょ　せい

3．☐ い
　　こわ

Ⅰ．＿＿＿＿の読み方を書いてください。

1．息子に赤ちゃんが生まれました。

2．彼はタイから来た留学生です。

3．試験について説明します。

4．病気の人の世話をするのは大変です。

5．田中君、ちょっと来て。

6．ここは中学校の生徒がよく通る道です。

7．久しぶりですね。お元気ですか。

Ⅱ．漢字で書いてください。

1．□しい
　　いそが

2．□ぶ
　　あそ

3．□ける
　　とど

Ⅰ. ＿＿＿の読み方を書いてください。
　　よ　かた　か

　1. 兄は貿易会社に勤めています。
　　あに　　　　がいしゃ

　2. 食堂は2階です。
　　しょくどう

　3. 部長はあの方をご存じですか。
　　ぶちょう　　　かた

　4. こちらは田中先生の奥様です。
　　　　　　たなかせんせい

　5. 日本へ行ったら、旅館に泊まりたいです。
　　にほん　い

Ⅱ. 漢字で書いてください。
　　かんじ　か

　1. 歯医者に□る
　　は いしゃ　　よ

　2. □れる
　　　つか

　3. □し上がる
　　　め　あ

Ⅰ. _____の読み方を書いてください。

1. 両親の家は郊外の静かな所にあります。

2. そのニュースは世界中に放送されました。

3. 先生のお書きになった本を拝見しました。

4. あした、10時に伺います。

5. 田中と申します。

6. あした9時に参ります。

Ⅱ. 漢字で書いてください。

1. ☐
　わたくし

2. ☐後に
　さい　ご

3. 階☐
　かい　だん

クイズ解答
<small>かいとう</small>

ユニット２３

Ⅰ．１．いけん　２．き　３．ひ　４．じ　５．しゃちょう　６．おもいだし
　　７．しょくじ

Ⅱ．１．足　２．大切

ユニット２４

Ⅰ．１．しけん　２．もんだい　３．こたえ　４．だい　５．はじめ
　　６．あつめて　７．ようじ

Ⅱ．１．集　２．研究

ユニット２５

Ⅰ．１．ごはん　２．おしょうがつ　３．せかい　４．いそいで
　　５．ようふく　６．ふべん　７．とくに

Ⅱ．１．場　２．特急

ユニット２６

Ⅰ．１．かいぎ、おくれ　２．じしょ　３．ちゅうしゃじょう
　　４．じゅうどう　５．ぼうし　６．ゆ

Ⅱ．１．絵　２．遠　３．欲

ユニット２７

Ⅰ．１．けしき　２．ゆめ　３．すわり　４．だいどころ
　　５．むかし、どうぐ、やくにたち

Ⅱ．１．声　２．泳　３．走

ユニット２８

Ⅰ．１．しゅうかん　２．しょうせつ　３．けいけんし　４．しょうらい
　　５．かよい　６．やさしくて、ねっしんな

Ⅱ．１．形　２．眠　３．力

ユニット２９

Ⅰ．１．ぜんぶ　２．きっさてん　３．へん、じんじゃ　４．わすれもの

5．つま　6．がわ
Ⅱ．1．落　2．消　3．汚

ユニット30
Ⅰ．1．ふくしゅうし　2．かけ　3．よやくし　4．つくえ、ひきだし
　　5．おさら、おき
Ⅱ．1．冷　2．予定

ユニット31
Ⅰ．1．ひこうき、くうこう　2．じむしょ、のこって
　　3．どうぶつえん、つれて　4．そつぎょうしき
Ⅱ．1．受　2．文　3．普

ユニット32
Ⅰ．1．かぜ　2．ぎゅうにゅう　3．なおり　4．もどり
　　5．こんや、ゆき　6．さいきん
Ⅱ．1．空　2．続　3．星

ユニット33
Ⅰ．1．いりぐち、うけつけ　2．にもつ　3．かど、まがって　4．すわ
　　5．いない
Ⅱ．1．伝　2．席　3．投

ユニット34
Ⅰ．1．あまい　2．さきに　3．にがい　4．みがき　5．てつだって
　　6．のりかえて　7．しお
Ⅱ．1．辛　2．細　3．番

ユニット35
Ⅰ．1．しま　2．みどり　3．ひろって、すてて　4．きんじょ
　　5．かわり　6．ただしい
Ⅱ．1．村　2．珍　3．向

ユニット３６
I．1．はいしゃ　2．やさい　3．とくべつな　4．すいえい　5．なれ
　　6．かならず　7．わかい
II．1．過　2．太　3．耳

ユニット３７
I．1．ふね　2．しょうたいし　3．たのみ　4．きかい　5．おこない
　　6．けして　7．ゆしゅつして
II．1．呼　2．寺　3．米

ユニット３８
I．1．かいがん、さんぽし　2．やさしい　3．はし　4．さつ
　　5．せい　6．むりな
II．1．枝　2．卵　3．難

ユニット３９
I．1．じしん、しに　2．こまった　3．こたえられ、はずかしかった
　　4．ならんで　5．おおぜい
II．1．代　2．死　3．狭

ユニット４０
I．1．つごう　2．おもて　3．しゅっぱつし　4．こ　5．ひつよう
　　6．よてい　7．はじめて
II．1．合　2．危険

ユニット４１
I．1．おかし　2．おみまい　3．おみやげ　4．くだもの　5．くつ
　　6．そぼ　7．てぶくろ
II．1．祝　2．取、替

ユニット４２
I．1．けいざい　2．せいじ　3．ほうりつ　4．こくさい　5．あつい
　　6．わかし　7．ぶんか
II．1．石　2．薄　3．包

ユニット４３
Ⅰ．1．まい　2．あつい　3．さむい　4．あたたかい　5．きっぷ
　　6．さいて　7．むかえ
Ⅱ．1．払　2．増　3．涼

ユニット４４
Ⅰ．1．かみ　2．かお　3．ばい　4．りゆう　5．おしいれ
　　6．こまかい　7．あんぜん
Ⅱ．1．痛　2．泣　3．空

ユニット４５
Ⅰ．1．ざんねん　2．はやい　3．おくりもの、よういし　4．はたらいて
　　5．てん　6．れんしゅう
Ⅱ．1．覚　2．皆　3．遅

ユニット４６
Ⅰ．1．せんたくする　2．しあい　3．しゅっせきし　4．わたして
　　5．ぐあい　6．おてあらい　7．ところ
Ⅱ．1．乾　2．焼　3．薬

ユニット４７
Ⅰ．1．おまつり　2．かがく　3．てんきよほう　4．わかれ　5．いがく
　　6．さい　7．あつまって
Ⅱ．1．吹　2．性　3．怖

ユニット４８
Ⅰ．1．むすこ　2．りゅうがくせい　3．せつめいし　4．せわ　5．くん
　　6．せいと　7．ひさしぶり
Ⅱ．1．忙　2．遊　3．届

ユニット４９
Ⅰ．1．ぼうえき、つとめて　2．かい　3．ごぞんじ　4．おくさま
　　5．りょかん、とまり
Ⅱ．1．寄　2．疲　3．召

ユニット５０
Ⅰ．１．りょうしん、こうがい　２．ほうそうされ　３．はいけんし
　　４．うかがい　５．もうし　６．まいり
Ⅱ．１．私　２．最　３．段

監修者

西口光一　　　大阪大学国際教育交流センター／言語文化研究科　教授

著者

新矢麻紀子　　大阪産業大学教養部　准教授

古賀千世子　　元神戸大学留学生センター　非常勤講師
　　　　　　　元松下電器産業株式会社海外研修所　講師

髙田亨　　　　元関西学院大学国際教育・協力センター　特別契約准教授

御子神慶子　　財団法人海外技術者研修協会　日本語講師
　　　　　　　グループ四次元ポケット

本文イラスト　　西野昌彦

表紙イラスト　　さとう恭子

表紙デザイン　　小笠原博和

みんなの日本語初級II
漢字　英語版

2001年11月1日　初版第1刷発行
2011年7月25日　第12刷発行

監修者　　西口光一
著　者　　新矢麻紀子　古賀千世子　髙田亨　御子神慶子
発行者　　小林卓爾
発　行　　株式会社スリーエーネットワーク
　　　　　〒101-0064　東京都千代田区猿楽町2-6-3　（松栄ビル）
電　話　　営業　03（3292）5751
　　　　　編集　03（3292）6521
　　　　　http://www.3anet.co.jp/
印　刷　　日本印刷株式会社

ISBN978-4-88319-202-1　C0081

みんなの日本語シリーズ

みんなの日本語初級 I ●●

本冊	2,625 円	漢字 韓国語版	1,890 円
本冊 ローマ字版	2,625 円	漢字 ポルトガル語版	1,890 円
翻訳・文法解説ローマ字版（英語）	2,100 円	漢字練習帳	945 円
翻訳・文法解説英語版	2,100 円	漢字カードブック	630 円
翻訳・文法解説中国語版	2,100 円	初級で読めるトピック 25	1,470 円
翻訳・文法解説韓国語版	2,100 円	書いて覚える文型練習帳	1,365 円
翻訳・文法解説フランス語版	2,100 円	聴解タスク 25	2,100 円
翻訳・文法解説スペイン語版	2,100 円	教え方の手引き	2,940 円
翻訳・文法解説タイ語版	2,100 円	練習 C・会話イラストシート	2,100 円
翻訳・文法解説ポルトガル語版	2,100 円	導入・練習イラスト集	2,310 円
翻訳・文法解説インドネシア語版	2,100 円	CD	5,250 円
翻訳・文法解説ロシア語版〔第 2 版〕	2,100 円	携帯用絵教材	6,300 円
翻訳・文法解説ドイツ語版	2,100 円	B4 サイズ絵教材	37,800 円
翻訳・文法解説ベトナム語版	2,100 円	会話 DVD NTSC	8,400 円
標準問題集	945 円	会話 DVD PAL	8,400 円
漢字 英語版	1,890 円		

みんなの日本語初級 II ●●●●●●●●●●●●●●●●●●●●●●●●●●●●●●●●●●●●●

本冊	2,625 円	漢字 英語版	1,890 円
翻訳・文法解説英語版	2,100 円	漢字練習帳	1,260 円
翻訳・文法解説中国語版	2,100 円	初級で読めるトピック 25	1,470 円
翻訳・文法解説韓国語版	2,100 円	書いて覚える文型練習帳	1,365 円
翻訳・文法解説フランス語版	2,100 円	聴解タスク 25	2,520 円
翻訳・文法解説スペイン語版	2,100 円	教え方の手引き	2,940 円
翻訳・文法解説タイ語版	2,100 円	練習 C・会話イラストシート	2,100 円
翻訳・文法解説ポルトガル語版	2,100 円	導入・練習イラスト集	2,520 円
翻訳・文法解説インドネシア語版	2,100 円	CD	5,250 円
翻訳・文法解説ロシア語版〔第 2 版〕	2,100 円	携帯用絵教材	6,825 円
翻訳・文法解説ドイツ語版	2,100 円	B4 サイズ絵教材	39,900 円
翻訳・文法解説ベトナム語版	2,100 円	会話 DVD NTSC	8,400 円
標準問題集	945 円	会話 DVD PAL	8,400 円

- -

みんなの日本語初級 やさしい作文	1,260 円

みんなの日本語中級 I ●●●●●●●●●●●●●●●●●●●●●●●●●●●●●●●●●●●●●●

本冊	2,940 円	翻訳・文法解説スペイン語版	1,680 円
翻訳・文法解説英語版	1,680 円	翻訳・文法解説ポルトガル語版	1,680 円
翻訳・文法解説中国語版	1,680 円	翻訳・文法解説フランス語版	1,680 円
翻訳・文法解説韓国語版	1,680 円	教え方の手引き	2,625 円
翻訳・文法解説ドイツ語版	1,680 円		

価格は税込みです

スリーエーネットワーク

ホームページで新刊や日本語セミナーをご案内しています
http://www.3anet.co.jp/